JAMIE OLIVER

30

MINUTES
CHRONO

JAMIE OLIVER

30

MINUTES CHRONO

Photographies de
DAVID LOFTUS

hachette
CUISINE

ÉDITION ORIGINALE
Publiée au Royaume-Uni par Penguin Books Ltd, 2010.
Titre original : *Jamie's 30 minute meals*
Copyright © Jamie Oliver, 2010
Photographies © David Loftus, 2010

www.penguin.com
www.jamieoliver.com

ÉDITION FRANÇAISE
Traduction : Stéphan Lagorce, Nicole Seeman
Correction : Sophie Schang
Adaptation et réalisation : les PAOistes
Adaptation de couverture : les PAOistes
L'éditeur remercie Emmanuelle Michon pour son aide précieuse.

© 2011 HACHETTE LIVRE (Hachette Pratique) pour la traduction française
Dépôt légal : août 2011
23-09-8273-01-7
ISBN : 9782-01-23-8273-2

Imprimé en Italie par Graphicom

hachette
PRATIQUE

jamieoliver.com

SIMON LAURENCE KINDER
7 avril 1962 – 16 mai 2010

Je dédie ce livre à Simon Kinder, un ami très cher qui, malheureusement, est décédé. C'était le directeur général de Magimix au Royaume-Uni et une des figures les meilleures et les plus aimées de l'industrie alimentaire. C'était vraiment une personne avec laquelle j'aimais passer du temps, et sa passion pour la nourriture, comme son amitié, étaient toujours très appréciées. Il va me manquer, ainsi qu'à mon équipe et au personnel de Magimix. Mes pensées vont à ses merveilleux enfants, Max et Katya, à leur mère Monica et à toute sa famille.

Il aurait adoré ce livre, car nous utilisons sans cesse des robots et des blenders pour accélérer les choses. Qu'il soit béni.

LES REPAS

ORECHIETTE AU BROCOLI   salade de courgettes & bocconcini, salade de melon & prosciutto   24

LES PÂTES DE JOOLS ENCEINTE   salade croquante de trévise & cresson, tartelettes à la frangipane   30

MACARONIS AU CHOU-FLEUR   salade de trévise à la vinaigrette folle, délice de fruits cuits   34

RIGATONI À LA TRAPANI   salade d'endives & trévises grillées, salade de roquette & parmesan, trifle au limoncello   40

PÂTES D'ÉTÉ EN FOLIE   salade aux herbes, tartelettes aux poires   44

LASAGNES AUX LÉGUMES D'ÉTÉ   salade de tomates toscane, petits cornets de yaourt glacé à la mangue   48

SPAGHETTIS ALLA PUTTANESCA   salade croquante, pain à l'ail, ganache soyeuse au chocolat   54

PIZZA DE TRICHEUR   trio de délicieuses salades, écrasée de cerises et crème à la vanille & au mascarpone   58

RISOTTO MOELLEUX AUX CHAMPIGNONS   salade d'épinards, cheese-cake express aux framboises & au citron   64

TOURTE FILO AUX ÉPINARDS & À LA FETA   salade de concombre, salade de tomates, glace « en croûte »   70

SOUPE DE TOMATES   gros croûtons, légumes croquants et guacamole, pudding moelleux aux pruneaux   76

CURRY ROGAN JOSH   riz aérien, salade de carottes, pappadums, chappattis, bière   80

CURRY VERT   poulet croustillant, salade de kimchi, nouilles de riz   86

TOURTE AU POULET   petits pois à la française, écrasée de carottes, baies, shortbread & chantilly   90

POULET À LA MOUTARDE   gratin dauphinois express, légumes verts, affogato forêt noire   96

POULET AU FOUR   pommes de terre écrasées, épinards à la crème, jus glacé à la fraise   102

POULET SAUCE D'ENFER   riz & haricots, salade hachée rafraîchissante, maïs grillé   106

BROCHETTES DE POULET   sauce satay incroyable, salade de nouilles, fruits & menthe au sucre   110

POULET FARCI À LA CHYPRIOTE   asperges sautées & tomates en grappe, salade de chou, boisson saint-clément, glace vanille/café   116

POULET PIRI PIRI   pommes de terre assaisonnées, salade de roquette, tartes portugaises express   120

SALADE DE CANARD   croûtons géants, pudding au riz aux fruits étuvés   126

CURRY DE CREVETTES À LA THAÏ   riz au jasmin, salade de concombre, assiette de papaye   130

SARDINES GRILLÉES   halloumi croustillant, salade de cresson & figues, mousse au chocolat   134

CRUMBLE GOURMAND DE CABILLAUD   mon écrasée de petits pois, sauce tartare, salade chaude du jardin   140

PALETS DE POISSON À LA SUÉDOISE   pommes de terre nouvelles rôties, salade de graines germées, petite salsa qui décoiffe   146

JE SUIS TROP OCCUPÉ... C'EST TROP CHER... JE NE SAIS PAS FAIRE

Voilà les trois excuses que j'entends le plus souvent quand je demande aux gens pourquoi ils ne cuisinent pas davantage à la maison. Pourtant, avec le bon matériel, un peu d'organisation et des recettes fiables, ces excuses ne tiennent pas la route. Que vous soyez un cuisinier génial ou un débutant, ce livre vous permettra de réussir. Je suis convaincu que si vous adoptez ma méthode, cela changera définitivement la façon dont vous cuisinerez.

Le plus révolutionnaire dans ces menus n'est pas qu'ils peuvent être préparés rapidement (même si c'est le cas), ni qu'ils contiennent de nombreux trucs et astuces (c'est aussi le cas), mais que je les ai rédigés d'une façon complètement originale : je vous guide, pas à pas, dans la réalisation d'un repas complet. En 30 minutes, vous pourrez préparer en même temps votre plat principal avec sa garniture, une entrée, un dessert et même une boisson, le tout fait maison. J'ai créé 50 repas formidables pour vous : des plats de viandes, des plats végétariens, des recettes à base de pâtes, des desserts express, de savoureux curries... Et d'autres plats encore que vous n'auriez pas imaginé pouvoir faire en si peu de temps.

Grâce à ce livre vous pourrez nourrir votre famille, en cuisinant rapidement et avec panache. Vous allez utiliser votre cuisine d'une façon complètement nouvelle, différente et amusante. Les résultats vont vous épater.

MAIS SI, VOUS AVEZ LE TEMPS

Vous avez beau être la personne la plus occupée du monde, vous avez quand même besoin de manger. Je veux vous prouver qu'en seulement 20 à 30 minutes, c'est-à-dire à peu près le temps qu'il faut pour réchauffer un plat tout prêt, regarder quelque chose à la télé ou aller chercher un repas à emporter, vous pouvez préparer un superbe festin fait maison.

J'ai récemment pris conscience que la façon dont je cuisinais en semaine n'était pas très efficace. Comme je suis cuisinier, je préparais souvent des repas en « free style », en improvisant les plats au fur et à mesure. Bien sûr, les plats étaient savoureux, mais mon approche était plutôt désordonnée et je passais trop de temps en cuisine et à faire la vaisselle, alors que j'aurais pu être en train de coucher mes enfants et de leur lire une histoire. Du coup, j'ai commencé à m'organiser en adoptant une approche méthodique des repas du lundi au jeudi. Je l'ai gardée depuis.

Bien sûr, le week-end je ralentis le rythme et je prends vraiment mon temps pour faire la cuisine. Mais comme la semaine est très chargée, cela m'aide d'être organisé pour les courses et la cuisine, pour mieux profiter de mon temps libre. De nos jours, il semble que passer du temps en famille ne figure pas sur la liste des priorités. J'espère, cependant, qu'apprendre à cuisiner de délicieux repas rapides vous aidera à rassembler vos proches autour de la table.

MAIS NON, CE N'EST PAS TROP CHER

Je n'ai pas essayé de faire un livre de cuisine pour petit budget. Certains des repas proposés ici satisferont même les plus exigeants des gastronomes ! Mais, comme je suis curieux, j'ai estimé le coût de ces repas par rapport à leurs équivalents « tout prêts ». Résultat : la plupart reviennent moins chers quand on les prépare chez soi que quand on les achète à emporter, au restaurant ou au supermarché. Pensez-y. Vous pourrez vous attabler avec vos amis ou votre famille, chez vous, et vous régaler d'un super festin pour moins cher qu'ailleurs. Et comme vous saurez exactement quels ingrédients vous avez utilisés, ce sera plus sain. C'est génial !

J'ai découvert plein de trucs et astuces en cuisinant de cette façon et je les ai inclus dans les recettes. J'espère qu'ils vous aideront à devenir un cuisinier plus rapide et plus efficace en toutes circonstances. À terme, cela vous sera utile, ce vous pourrez cuisiner rapidement n'importe quel produit.

JE VAIS VOUS MONTRER COMMENT FAIRE

Ces recettes ont été précisément « chorégraphiées », pour ne pas perdre une minute. Je me suis occupé de toutes les choses fastidieuses, comme la planification des menus et leur timing. Tout ce que vous avez à faire, c'est suivre mes indications, les exécuter rapidement et vous laisser guider. Si, au début, vous dépassez un peu le temps imparti et que votre cuisine est en désordre, surtout, ne vous inquiétez pas, ça fait partie de l'apprentissage. Plus vous préparerez ces repas, plus vos progrès seront phénoménaux. N'oubliez pas qu'il s'agit de cuisiner d'une façon totalement nouvelle. C'est un peu comme faire du vélo, apprendre à conduire ou faire « le bel amour ». Vous n'y arriverez peut-être pas très bien la première fois, mais quand vous réussirez, les résultats seront incroyables !

Ce livre est exigeant : ces 50 menus vont vous obliger à fonctionner en mode multitâches, mais vous vous y habituerez vite, et vous en deviendrez sans doute accro. Il ne faut pas que vous abordiez les recettes en « free style », en y ajoutant des éléments (du moins pas au début) ou en utilisant des ingrédients ou des quantités autres que ceux que j'ai indiqués. Ils ont été testés par mon équipe culinaire, mes collègues et même des inconnus, alors je sais qu'ils fonctionnent. Bien sûr, il y aura des soirs où vous aurez simplement envie de vous affaler dans le canapé avec votre femme (ou votre mari) et de vous contenter d'un simple bol de pâtes ou d'une salade. Si c'est le cas, vous n'aurez qu'à choisir vos plats préférés dans ces repas. Ils sont clairement présentés et faciles à extraire même si l'objet de ce livre est bien la préparation de repas complets. Alors pendant les soirs de semaine ou de week-ends bien remplis, quand tout le monde est réuni, n'oubliez pas qu'avec moins d'une demi-heure de travail intense, vous pouvez préparer quelque chose de vraiment spécial.

Pour réussir ces menus rapidement, il faut vous mettre en mode « repas en 30 minutes », et organiser votre cuisine et vos ustensiles. Dans les pages suivantes, j'ai décrit tout ce dont vous avez besoin. Il est important que vous les lisiez avant de commencer : elles sont là pour vous aider. Prenez-les comme point de départ et lancez-vous !

Dans ce livre, j'ai adopté un ton direct et sans détours. C'est pour une bonne raison. Je veux que vous obteniez deux choses : des plats superbes dont les délicieuses saveurs vont surprendront et pouvoir passer plus de temps avec ceux que vous aimez. Alors allez-y et amusez-vous !

*Jamie O*xx

P.-S. : Quand vous voyez ce symbole dans les recettes, allez sur www.jamieoliver.com/30MM. Vous y trouverez une vidéo de la technique en question dans la partie « how to ». Il y a aussi beaucoup d'autres super vidéos sur mon site web (y compris une sur les techniques de découpe), des photos de pas-à-pas, des trucs, des conseils, des astuces et toutes sortes de bonus formidables pour vous aider à devenir une véritable « machine à cuisiner »

REDONNEZ À VOTRE CUISINE SA VÉRITABLE FONCTION

Nous sommes trop nombreux à essayer de cuisiner avec des jouets d'enfants sous les pieds, des magazines et des factures empilés sur les plans de travail, entourés de sacs, de clés, de linge, de chaussures et d'autres objets qui ne sont pas vraiment à leur place. Mais changez cela. Rangez autant que possible votre cuisine pour que vous puissiez y préparer des plats incroyables tous les soirs de la semaine. Ne laissez pas les autres pièces l'envahir : si vous y voyez du fouillis, rangez-le ailleurs.

Triez votre matériel

Prenez une heure ou deux et sortez tous vos ustensiles de cuisine. Combien en utilisez-vous ? De quels éléments de la liste de la page 21 avez-vous besoin ? Si vous avez des marmites gigantesques ou des gadgets sophistiqués que vous n'utilisez qu'une ou deux fois par an, mettez-les à la cave ou hors de portée. Une fois que c'est fait, vous cuisinerez plus sereinement.

Organisez-le avec bon sens

Avant de cuisiner un de ces repas, lisez toute la recette pour identifier les ustensiles dont vous aurez besoin. Sortez-les tous pour les avoir sous la main au moment opportun et organisez-vous par rapport à la recette. Si vous devez placer quelque chose au congélateur, vérifiez qu'il reste de la place avant de commencer. Vous éviterez de vous emmêler les pinceaux.

Je trouve que c'est vraiment utile de garder les ustensiles comme les pinces, les spatules et les cuillères en bois dans un grand bocal, à côté de la cuisinière, pour pouvoir les attraper facilement. Mais faites comme ça vous arrange, en fonction de la place dont vous disposez. Je pense également que les gros bocaux transparents sont géniaux pour stocker les ingrédients comme la farine, le sucre, les épices et les herbes. Vous trouverez ainsi tout de suite ce dont vous avez besoin.

Nettoyez au fur et à mesure

Débarrassez votre table avant de commencer à cuisiner. Si elle est encombrée, vos plats chauds et appétissants vont attendre. Faites-le avant et vous profiterez mieux de vos repas.

QUELQUES MOTS À PROPOS DES INGRÉDIENTS

Vous me connaissez assez bien maintenant pour savoir que quand j'utilise des œufs ou du poulet dans une recette, je veux que vous utilisiez des œufs ou de la volaille produits dans de bonnes conditions. C'est la même chose pour le porc. Il y a de nombreux critères à avoir en tête quand vous achetez des ingrédients, et l'industrie alimentaire n'arrête pas de changer et d'évoluer. Pour rendre les choses un peu plus claires, voici ce que je recherche quand je fais les courses.

Les œufs : toujours gros, de préférence bio ou de plein air

Le poulet : de préférence bio ou de plein air

Le porc : de préférence bio ou de plein air

La gélatine : de bœuf ou de légumes, pas de porc

Le poisson : issu d'une pêche durable

Le saumon : de préférence d'élevage, bio ou Label Rouge

Le bouillon de volaille ou de bœuf : de préférence bio

La mayonnaise : de bonne qualité, de préférence préparée avec des œufs de plein air

Les pâtes prêtes à étaler : de préférence préparées avec des œufs de plein air

Les meringues : de préférence préparées avec des œufs de plein air

Les pâtes aux œufs : de préférence préparées avec des œufs de plein air

LE MATÉRIEL INDISPENSABLE

Comme c'est mon devoir de vous aider à réussir les repas de ce livre, rapidement et efficacement, je vais aller droit au but : vous DEVEZ avoir le matériel listé en face pour préparer les repas de ce livre en 30 minutes. Sans certains ustensiles, comme un robot ou un blender, vous n'arriverez pas à travailler assez vite.

J'ai estimé le coût sur les sites Argos, Debenhams et John Lewis (à partir du mois où ce livre est sorti) et, si vous n'avez rien, vous pouvez vous procurer tout ce qu'il y a sur la liste pour environ 300 £, en choisissant un robot et un micro-ondes, qui coûtent environ 30 £, et un blender à 10 £ (à peu près le même prix qu'une petite tournée au pub). Bien sûr, les prix sur ces sites vont de « pas cher et basique » à « haut de gamme », en passant par toute la gamme de prix intermédiaires (*note de l'éditeur : vous trouverez le même matériel sur des sites français*). Que vous vouliez dépenser le minimum ou investir beaucoup plus, acheter ce matériel n'a rien d'impossible. Commencez par ce que vous pouvez vous permettre et achetez le reste au fur et à mesure. Plus vous aurez d'ustensiles de la liste, plus vous pourrez préparer de repas de ce livre et plus vous cuisinerez vite et bien.

Personnellement, quand il s'agit des couteaux, des casseroles et du matériel électrique, je trouve que ça vaut le coup de dépenser un peu plus pour choisir quelque chose de correct qui va durer. Alors économisez, ou profitez de vos anniversaires, de vos fêtes ou de votre mariage pour acquérir ce qui vous manque. Si vous n'avez pas de presse-ail ou d'économe, faites l'impasse sur votre capuccino du matin et utilisez les 2 £ pour en acheter un.

Nous mangeons en général trois fois par jour. Dépenser de l'argent dans des plats tout prêts, à emporter, ou au fast food, pour éviter d'investir de l'argent dans des ustensiles de cuisine, est une fausse économie. Ce matériel va se rembourser au centuple au cours du temps. Alors, je vous en prie, pour vous, pour votre famille et vos futurs invités, faites de votre cuisine une priorité. Sinon, c'est vous-même que vous lésez.

UN PETIT MOT À PROPOS DES MICRO-ONDES

Les micro-ondes sont devenus synonymes de repas tout prêts. Alors, pour moi, en mettre un dans ma liste de matériel est une première ! Mais j'ai lu que plus de 92 % des foyers en Grande-Bretagne en sont équipés, alors je serais fou de penser que vous n'en avez pas. Dans ce livre, vous allez utiliser votre micro-ondes pour libérer de la place sur votre cuisinière et faire cuire des ingrédients frais et savoureux. Les recettes de ce livre ont toutes été testées avec un micro-ondes de 800 W, alors vous aurez peut-être besoin d'ajuster les temps et les puissances au vôtre.

LA LISTE DES USTENSILES

Un robot avec les accessoires suivants :
une lame standard, un disque à émincer
fin et un épais, un disque à râper fin
et un disque à râper épais, un fouet
et un batteur

Un blender

Un micro-ondes

Un fouet électrique

Une bouilloire

Un grand gril en fonte
(d'environ 25 x 29 cm)

Une grande poêle antiadhésive avec
un couvercle (d'environ 30 cm)

Une poêle antiadhésive de taille moyenne
avec un couvercle (d'environ 26 cm)

Une petite poêle antiadhésive avec
un couvercle (d'environ 20 cm)

Une grande casserole profonde avec
un couvercle (d'environ 24 cm)

Une casserole de taille moyenne avec
un couvercle (d'environ 20 cm)

Une petite casserole avec un couvercle
(d'environ 16 cm)

Un cuit-vapeur à 3 étages

Un grand plat à rôtir (d'environ 28 x 35 cm)

Un plat à rôtir moyen

Un moule à gâteaux (d'environ 26 x 32 cm)

Une plaque à pâtisserie antiadhésive

Une grille

Un moule pour 6 muffins

Un moule pour 12 tartelettes

3 couteaux de bonne qualité
(un couteau de chef, un couteau
d'office, un couteau à pain)

2 planches à découper en plastique

2 grandes planches à découper en bois

Un ensemble de bols pour mélanger

Une passoire

Une passoire fine

Un mortier et un pilon

Un presse-ail

Des pinces

Une pelle à poisson

Des cuillères en bois

Une louche

Une écumoire

Une spatule

Un presse-purée

Un économe

Une râpe carrée

Une râpe à main, fine

Un verre gradué

Une balance

Des cuillères-mesures

Un fouet

Un ouvre-boîte

Un rouleau à pâtisserie

Un pinceau à pâtisserie

Un ouvre-bouteille

Une cuillère à glace

Du papier d'aluminium,
du papier sulfurisé

Du film alimentaire
spécial micro-ondes

PARTAGER EN FAMILLE

Ce livre est une mine de recettes à partager avec votre famille et vos amis. Pour moi, la table est comme le cœur et l'âme de mes repas en 30 minutes. C'est là que seront servis tous les magnifiques plats que vous allez créer. Les partager doit être une expérience joyeuse et festive. Comme mon boulot est de vous aider à vous mettre en valeur, j'ai établi la liste des objets dont je me sers tout le temps pour le service. Ils ne sont pas aussi « indispensables » que les ustensiles, mais pour moi ils sont vraiment importants. Ils vont vous aider à créer une table attractive, autour de laquelle les gens vont avoir envie de se réunir.

- des plats de toutes formes et tailles – modernes ou anciens, en fonction de votre style ;

- de beaux grands bols pour servir les salades, les soupes, les légumes et les desserts ;

- de grandes planches à découper, assez belles pour servir aussi de planches de service ;

- des dessous de plats, des planches ou même de jolis carreaux en céramique afin de poser des plaques, des casseroles, des poêles, etc., pour accueillir sur la table les plats sortant du four ;

- des poêles et des casseroles assez présentables pour être mises sur la table (pensez-y quand vous achetez des casseroles, comme ça elles joueront les deux rôles) ;

- des tasses à thé ou à cappuccino qui peuvent servir de bols à desserts (je trouve ça plutôt joli quand elles sont dépareillées) ;

- des grands verres ou des bocaux pour mettre les couverts (qui a dit que vous deviez mettre la table tous les soirs ?) ;

- des petits bols pour les sauces ou les dips ;

- des saucières et des petits brocs pour les jus de viande et les vinaigrettes ;

- un beau broc de 1 litre pour les boissons.

ORECHIETTE AU BROCOLI

SALADE DE COURGETTES & BOCCONCINI

SALADE DE MELON & PROSCIUTTO

POUR 6 PERSONNES

PÂTES

125 g de parmesan
1 grosse tête de brocolis
200 g de brocoli violet à jets
1 boîte de 30 g d'anchois à l'huile
1 cuillère à soupe bombée
de câpres
1 petit piment sec
3 gousses d'ail
quelques brins de thym frais
500 g d'orecchiette secs

SALADE DE COURGETTES

3 gros brins de menthe fraîche
½ piment rouge frais
1 citron
200 g de petites courgettes,
de différentes couleurs
125 g de bocconcini di mozzarella
(de petites boules de mozzarella)

ASSAISONNEMENT

huile d'olive

huile d'olive extra-vierge
sel de mer & poivre noir

SALADE DE MELON & PROSCIUTTO

une petite botte de basilic frais
½ citron
12 tranches (2 paquets de 115 g) de
prosciutto (jambon italien).
1 melon cantaloup
vinaigre balsamique

POUR COMMENCER Préparez tous vos ingrédients et vos ustensiles. Installez le disque à râpe fine dans le robot. Remplissez la bouilloire d'eau et faites-la bouillir. Faites chauffer une grande poêle à feu doux.

PÂTES Retirez la croûte du parmesan et mettez-la de côté. Râpez le morceau de parmesan au robot puis versez-le dans un bol. Coupez les fleurettes sur la grosse tige du brocoli. Coupez les fleurettes du brocoli violet à jets et hachez les tiges tendres. Mettez de côté tout le brocoli.

Installez la lame standard dans le robot. Coupez la grosse tige de brocoli en deux et mettez-la dans le bol du robot vide avec les anchois et leur huile ainsi que les câpres égouttées. Émiettez-y le piment sec. Pelez et ajoutez les 3 gousses d'ail, et mixez le tout pour obtenir une pâte. Versez l'eau bouillie dans une grande casserole profonde et faites-la chauffer à feu vif.

Mettez environ 3 cuillères à soupe d'huile d'olive dans la grande poêle et versez-y la pâte de brocolis. Remuez, puis effeuillez un peu de thym et ajoutez-le, jetez les tiges. Versez un verre d'eau dans la casserole et ajoutez la croûte de parmesan mise de côté. Remuez bien et réglez sur feu moyen. Surveillez et remuez de temps en temps. Remplissez la bouilloire à moitié et portez-la à ébullition.

Ajoutez les orecchiette dans la casserole d'eau bouillante avec une pincée de sel et faites-les cuire suivant les indications sur le paquet, le couvercle entrouvert. Pendant la cuisson des pâtes, vous avez maintenant environ 12 minutes pour préparer vos deux salades, alors soyez réactif !

SALADE DE COURGETTES Effeuillez la menthe sur une planche à découper. Ajoutez ½ piment rouge. Zestez la moitié du citron dessus, puis hachez très finement la menthe et le piment. Versez le tout sur un plat de service, arrosez d'environ 3 cuillères à soupe d'huile d'olive extra-vierge et pressez le jus de la moitié du citron. Ajoutez une pincée de sel & poivre, goûtez et rectifiez les saveurs si

nécessaire. Faites des rubans de courgettes avec un économe, directement sur la sauce. Égouttez les petites mozzarellas, puis mettez-les sur les courgettes et portez le tout à table pour mélanger au dernier moment.

PÂTES Remuez les pâtes, et ajoutez de l'eau de la bouilloire si nécessaire. Au bout de cinq minutes, ajoutez-y toutes les fleurettes de brocoli réservées et les tiges hachées du brocoli violet.

SALADE DE MELON & PROSCIUTTO Effeuillez le basilic en mettant de côté les petites feuilles. Mettez les grandes feuilles dans un mortier avec une pincée de sel et pilez-les pour obtenir une pâte. Ajoutez 2 cuillères à soupe d'huile d'olive extra-vierge et un bon filet de jus de citron. Étalez 12 tranches de jambon sur un plat, en laissant un espace au milieu. Coupez le melon en deux, videz les graines, puis prenez une cuillère pour récupérer la chair en gros morceaux et mettez-les au milieu du plat. Arrosez-les d'un peu de balsamique, puis parsemez-les de petites feuilles de basilic réservées. Pressez les demi-melons et incorporez le jus dans la sauce. Portez le plat à table avec le mortier et une cuillère pour verser la sauce.

PÂTES Égouttez les pâtes et le brocoli dans une passoire, en réservant un peu de l'eau de cuisson, et ajoutez-les dans la poêle avec la pâte. Retirez et jetez la croûte de parmesan. Ajoutez une ou deux bonnes poignées de parmesan râpé et une louche ou deux d'eau de cuisson. Remuez délicatement et rapidement jusqu'à ce que vous obteniez de belles pâtes, brillantes et souples. Goûtez et rectifiez l'assaisonnement, puis versez-les dans le plat de service, parsemez-les d'une poignée de parmesan. Arrosez-les d'huile d'olive extra-vierge et parsemez-les avec le reste des feuilles de basilic mises de côté. Portez-les à table avec le reste du parmesan pour saupoudrer.

POUR SERVIR Quand tout le monde est prêt à manger, utilisez 2 fourchettes pour mélanger les rubans de courgettes et les petites mozzarellas. Servez cette salade à côté des pâtes savoureuses et de la salade de melon au jambon.

LES PÂTES DE JOOLS ENCEINTE

SALADE CROQUANTE DE TRÉVISE & CRESSON

TARTELETTES À LA FRANGIPANE

POUR 6 PERSONNES

PÂTES

4 oignons nouveaux
1 carotte
1 branche de céleri
1 à 2 piments rouges frais
6 saucisses de bonne qualité
    (environ 400 g)
1 cuillère à café bombée
    de graines de fenouil
1 cuillère à café d'origan sec
500 g de penne
4 gousses d'ail
4 cuillères à soupe de vinaigre
    balsamique
1 boîte de 400 g de tomates
    concassées

quelques brins de basilic grec
    ou ordinaire

SALADE

2 trévises
1 sachet de 100 g d'un mélange
    de roquette et de cresson
    prêts à l'emploi
du parmesan, pour râper dessus
1 citron

ASSAISONNEMENT

huile d'olive
huile d'olive extra-vierge
sel de mer & poivre noir

TARTELETTES

6 petits fonds de tartelettes
    en pâte brisée
1 œuf
100 g de poudre d'amandes
100 g de beurre
90 g de sucre roux
1 orange
1 cuillère à soupe de pâte ou
    d'extrait de vanille
la moitié d'un pot de 350 g
    de confiture de framboises
    de bonne qualité
25 cl de crème fraîche, pour servir

POUR COMMENCER Préparez tous vos ingrédients et ustensiles. Allumez votre four à 190 °C (th. 6). Remplissez la bouilloire d'eau et faites-la bouillir. Faites chauffer une grande poêle à feu vif. Installez la lame standard dans le robot.

PÂTES Épluchez les oignons nouveaux, la carotte et le céleri. Hachez grossièrement tous les légumes, puis mixez-les au robot avec les piments (sans leur tige). Ajoutez les saucisses, 1 cuillère à café bombée de graines de fenouil et 1 cuillère à café d'origan. Continuez à mixer jusqu'à ce que ce soit homogène, puis mettez ce mélange dans la poêle avec une lampée d'huile d'olive, en le défaisant et en le remuant. Continuez à surveiller et à remuer pendant que vous réalisez d'autres tâches. Faites chauffer une grande casserole à feu doux et remplissez-la d'eau bouillie. Remplissez la bouilloire et refaites-la chauffer.

TARTELETTES Mettez les 6 fonds de tartelettes sur une plaque à pâtisserie. Préparez une frangipane en cassant l'œuf dans un bol et en ajoutant 100 g de poudre d'amandes, 100 g de beurre et 90 g de sucre roux. Râpez dessus le zeste de ½ orange et ajoutez 1 cuillère à soupe de pâte ou d'extrait de vanille. Mélangez le tout à la cuillère.

Mettez 1 petite cuillère à café de confiture dans chaque fond de tartelette. Couvrez avec 1 cuillère à café bombée de frangipane, puis une autre petite cuillère de confiture et une dernière cuillère à café bombée de frangipane. Positionnez la plaque au milieu du four et réglez le minuteur sur 18 minutes pile.

PÂTES Remplissez la casserole avec un peu plus d'eau bouillie si nécessaire. Assaisonnez bien, puis ajoutez les penne et faites-les cuire suivant les indications sur le paquet, le couvercle entrouvert.

SALADE Parez les bases de la trévise, puis séparez toutes les feuilles et ¼ du cœur. Étalez-les sur un plat, puis disposez dessus la roquette et le cresson et mélangez rapidement à la main.

PÂTES Écrasez 4 gousses d'ail non pelées dans le mélange à la saucisse et mélangez-y 4 cuillères à soupe de vinaigre balsamique et la boîte de tomates. Ajoutez un peu de l'eau de cuisson des pâtes (qui contient de l'amidon) pour détendre la sauce, si nécessaire.

SALADE Faites des copeaux avec un économe ou râpez un peu de parmesan sur la salade de trévise et portez-la à table avec une bouteille d'huile d'olive extra-vierge, du sel, du poivre et des quartiers de citron pour l'assaisonner juste avant de manger.

PÂTES Égouttez les pâtes, en réservant un verre de l'eau de cuisson. Versez les pâtes dans la poêle avec la sauce et remuez doucement, en ajoutant assez d'eau de cuisson pour qu'elles prennent une consistance soyeuse. Goûtez, rectifiez l'assaisonnement, puis versez dans un grand bol de service et portez tout de suite à table avec le reste du parmesan pour saupoudrer dessus. Parsemez de quelques feuilles de basilic.

TARTELETTES Quand les tartelettes sont dorées et cuites, éteignez le four et sortez-les. Servez-les tièdes, avec une cuillerée de crème fraîche à côté.

MACARONIS AU CHOU-FLEUR

POUR 6 PERSONNES

SALADE DE TRÉVISE À LA VINAIGRETTE FOLLE
DÉLICE DE FRUITS CUITS

MACARONIS AU CHOU-FLEUR

8 tranches de pancetta
1 grosse tête de chou-fleur
500 g de macaronis secs
250 g de cheddar affiné
4 grosses tranches de pain
 de campagne
quelques brins de romarin frais
2 gousses d'ail
25 cl de crème fraîche
du parmesan, pour servir

SALADE

2 grosses trévises
2 grosses endives
1 petite botte de basilic frais
1 gousse d'ail
½ boîte de 30 g d'anchois à l'huile
1 cuillère à café de moutarde
 de Dijon
2 cuillères à soupe de yaourt nature
3 cuillères à soupe de vinaigre
 de vin rouge
une petite poignée de câpres
 égouttées

ASSAISONNEMENT

huile d'olive
huile d'olive extra-vierge
sel de mer & poivre noir

FRUITS CUITS

18 prunes mûres ou un mélange
 de fruits à noyau que vous aimez,
 tels que les nectarines ou
 les abricots
1 cuillère à café de pâte ou d'extrait
 de vanille
2 cuillères à soupe bombées
 de sucre roux
1 orange
1 bâton de cannelle
facultatif : une bonne lampée
 de cognac
½ l de glace vanille de bonne qualité

POUR COMMENCER Préparez tous vos ingrédients et ustensiles. Remplissez la bouilloire d'eau et faites-la bouillir. Faites chauffer le four à 220 °C (th. 7). Installez le disque à râpe épaisse dans le robot.

MACARONIS AU CHOU-FLEUR Étalez la pancetta dans un plat à rôtir (d'environ 30 x 25 cm, ou assez grand pour contenir les pâtes) et mettez-le en haut du four. Jetez les feuilles extérieures abîmées du chou-fleur, coupez et épluchez la base dure de la tige et coupez la tête en quatre. Mettez les morceaux dans une grande casserole, sur un feu vif, tige vers le bas, avec les pâtes. Couvrez d'eau bouillante. Remplissez la bouilloire et complétez si nécessaire. Salez bien, arrosez d'un filet d'huile d'olive, puis remuez et faites cuire suivant le mode d'emploi sur le paquet, le couvercle entrouvert.

FRUITS CUITS Coupez les prunes en deux, dénoyautez-les et mettez-les dans un autre plat à rôtir avec 1 cuillère à café de pâte ou d'extrait de vanille et 2 cuillères à soupe de sucre. Récupérez le zeste de ½ orange avec un économe, puis pressez-y tout le jus. Ajoutez le bâton de cannelle cassé en deux et mélangez-y une bonne lampée de cognac, si vous en utilisez. Installez le plat en bas du four. Ce sera parfait au bout de 15 minutes environ.

MACARONIS AU CHOU-FLEUR Râpez le cheddar au robot et versez-le dans un bol. Installez la lame standard, puis sortez votre pancetta du four et mixez-la au robot avec le pain, les feuilles de romarin et un bon filet d'huile d'olive jusqu'à ce que vous obteniez la texture d'une chapelure.

Mettez une passoire sur un grand bol pour recueillir l'eau des pâtes, puis égouttez les pâtes et le chou-fleur. Versez-les dans le plat à rôtir où vous avez cuit la pancetta, et posez-le sur feu doux. Ajoutez-y 40 cl de l'eau de cuisson des pâtes provenant du bol. Écrasez-y les 2 gousses d'ail non pelées et mélangez-y la crème fraîche et le cheddar râpé, en cassant délicatement le chou-fleur avec une pince ou un presse-purée. Goûtez et rectifiez l'assaisonnement. Si la texture est trop épaisse, rajoutez un peu d'eau de cuisson des pâtes.

Étalez le tout de façon homogène et parsemez de chapelure. Placez en haut du four environ 8 minutes, ou jusqu'à ce que ce soit doré et bouillonnant.

FRUITS CUITS Si les prunes ont l'air tendres et juteuses, sortez-les du four et mettez-les de côté. Sinon laissez-les cuire un peu plus longtemps.

SALADE Ôtez les bases des trévises et des endives et séparez les feuilles sur un plat. Effeuillez rapidement le basilic et parsemez les petites feuilles sur la salade. Faites chauffer une petite poêle à feu moyen.

Mettez les plus grandes feuilles de basilic dans un blender. Écrasez-y la gousse d'ail non pelée, puis ajoutez une bonne pincée de sel & poivre, la ½ de la boîte d'anchois plus un peu de l'huile, 1 cuillère à café de moutarde, 2 cuillères à soupe de yaourt, 3 cuillères à soupe de vinaigre de vin rouge et à peu près la même quantité d'huile d'olive extra-vierge. Ajoutez un petit filet d'eau et mixez jusqu'à ce que le mélange soit lisse.

Ajoutez dans la poêle chaude un filet d'huile d'olive et les câpres. Faites-les revenir quelques minutes jusqu'à ce qu'elles soient croustillantes. Goûtez la sauce pour vérifier son acidité, puis versez-la dans un broc. Parsemez les câpres croustillantes sur la salade et portez-la à table avec le broc de sauce. Vous n'aurez pas besoin de toute la sauce – gardez ce qui reste au réfrigérateur pour un autre jour.

POUR SERVIR Quand les macaronis au chou-fleur sont dorés et bouillonnants, portez-les à table et faites des copeaux de parmesan dessus. Si les fruits sont encore au four, sortez-les et mettez-les de côté. Sortez la glace du congélateur pour la ramollir. Quand vous êtes prêt, servez les fruits dans de petits verres avec des couches de glace vanille.

RIGATONI À LA TRAPANI

SALADE D'ENDIVES & TRÉVISES GRILLÉES

SALADE DE ROQUETTE & PARMESAN

TRIFLE AU LIMONCELLO

POUR 6 PERSONNES

CIABATTA

1 pain ciabatta
1 cuillère à café bombée
   de thym sec

PÂTES

500 g de rigatoni secs
40 g de parmesan
100 g d'amandes entières
   mondées
2 gousses d'ail
1 à 2 piments rouges frais
2 grosses bottes de basilic
   frais
4 filets d'anchois à l'huile
450 g de tomates cerise, rouges
   et jaunes si possible

SALADE D'ENDIVES

2 trévises
2 endives
vinaigre balsamique
quelques brins de romarin frais
½ gousse d'ail

SALADE DE ROQUETTE

1 sachet de 100 g de roquette
   prête à l'emploi
40 g de parmesan
½ citron

ASSAISONNEMENT

huile d'olive
huile d'olive extra-vierge
sel de mer & poivre noir

TRIFLE

3 oranges
7,5 cl de limoncello
100 g de biscuits à la cuillère
250 g de mascarpone
2 cuillères à soupe bombées de sucre
   glace, plus un peu pour saupoudrer
10 cl de lait demi-écrémé
1 citron
1 cuillère à café de pâte ou d'extrait
   de vanille
1 barquette de framboises, ou
   d'autres fruits de saison
100 g de chocolat noir de bonne
   qualité (d'environ 70 % de teneur
   en cacao), pour râper dessus

POUR COMMENCER Préparez tous vos ingrédients et ustensiles. Remplissez la bouilloire d'eau et faites-la bouillir. Faites chauffer le four à 180 °C (th. 6). Mettez environ 5 cm d'eau chaude dans une grande casserole à chauffer à feu moyen. Installez la lame standard dans le robot.

CIABATTA Arrosez la ciabatta d'huile d'olive, parsemez-la de thym et d'une bonne pincée de sel. Mettez-la dans le four pour qu'elle se réchauffe.

TRIFLE Pressez le jus de 3 oranges dans un plat de service de taille appropriée. Mélangez-y le limoncello et goûtez pour vérifier l'équilibre entre le sucre et l'alcool, en ajustant si nécessaire. Couvrez la base du plat avec une couche de biscuits à la cuillère. Mettez le mascarpone dans un bol avec le sucre glace et le lait. Râpez finement le zeste de citron dessus, puis pressez le jus de la moitié du citron. Ajoutez la pâte ou l'extrait de vanille dans le bol et fouettez bien. Étalez ce mélange sur les biscuits à la cuillère, puis répartissez dessus les framboises et râpez des copeaux de chocolat par dessus. Placez au réfrigérateur.

SALADE D'ENDIVES Ôtez les bases des trévises et des endives et coupez-les en deux dans la longueur. Posez-les, sur le côté plat, sur un gril en fonte. Retournez-les toutes les quelques minutes, et une fois qu'elles sont bien grillées des deux côtés, sortez le gril du feu.

PÂTES Ajoutez les pâtes et de l'eau bouillante dans la grande casserole. Faites-la chauffer à feu vif et faites cuire les pâtes suivant les indications sur le paquet, couvercle entrouvert. Remplissez et faites à nouveau chauffer la bouilloire pour en rajouter si nécessaire.

SALADE DE ROQUETTE Mettez la roquette dans un bol. Faites des copeaux de parmesan dessus avec un économe.

Dans un petit broc, mélangez 3 cuillères à soupe d'huile d'olive extra-vierge avec le jus de ½ citron et assaisonnez à votre goût. Portez la salade et la sauce à table.

PÂTES Mettez le parmesan, 100 g d'amandes, 2 gousses d'ail pelées et 1 ou 2 piments (sans les tiges) dans un robot et mixez finement. Pendant que le robot tourne, ajoutez-y 1½ botte de basilic, 4 anchois et ⅔ des tomates cerise. Mixez jusqu'à obtenir une pâte, puis ajoutez une lampée ou deux d'huile d'olive extra-vierge. Goûtez, assaisonnez si nécessaire, puis mettez de côté. Coupez les tomates restantes en deux ou en quatre et mettez de côté. À ce stade, les pâtes devraient être cuites, alors égouttez-les en gardant un peu d'eau de cuisson et remettez-les dans la casserole chaude. Ajoutez-y la pâte du robot, en mélangeant bien pour enrober les pâtes. Versez un filet d'eau pour que la sauce soit souple et soyeuse.

SALADE D'ENDIVES Mettez les trévises et les endives sur la planche. Hachez-les grossièrement, assaisonnez-les avec un filet de vinaigre balsamique, une lampée d'huile d'olive extra-vierge, sel & poivre. Effeuillez le romarin, hachez-le finement et écrasez dessus une ½ gousse d'ail pelée. Mélangez le tout et portez à table.

CIABATTA Sortez le pain du four, posez-le sur une planche et portez-le à table.

PÂTES Versez les pâtes dans un grand saladier de service, mélangez-les rapidement, puis éparpillez dessus les tomates cerise restantes et le basilic. Portez le plat à table.

TRIFLE À la fin du dîner, sortez le dessert du réfrigérateur. Tamisez un peu de sucre glace dessus et servez. Si vous vous sentez d'humeur légèrement décadente, vous pouvez faire fondre le chocolat restant au micro-ondes et le verser directement dessus.

PÂTES D'ÉTÉ EN FOLIE

POUR 4 PERSONNES

SALADE AUX HERBES
TARTELETTES AUX POIRES

PÂTES

2 jaunes d'œufs
125 g de parmesan, plus un peu
   pour servir
le zeste et le jus de 2 citrons
une petite botte de basilic frais
500 g de feuilles de lasagnes
   fraîches

SALADE

8 tranches de pancetta
1 gousse d'ail
1 cuillère à soupe de graines
   de fenouil
1 sachet de 100 g de roquette prête
   à l'emploi et/ou de cresson
1 petite botte de menthe fraîche
1 petite botte d'estragon frais
1 grosse poignée de raisins noirs,
   blancs ou mélangés
2 cuillères à soupe de vinaigre
   balsamique
½ citron

ASSAISONNEMENT

huile d'olive
huile d'olive extra-vierge
sel de mer & poivre noir

TARTELETTES

4 petits fonds de tartelettes,
   profonds, en pâte brisée
4 cuillères à dessert de confiture
   de framboises
1 boîte de 400 g de demi-poires au jus
facultatif : 2 brins de thym-citron
   frais
2 blancs d'œufs
100 g de sucre blanc
1 cuillère à café de pâte ou d'extrait
   de vanille
1 petit pot de glace vanille de bonne
   qualité pour servir

POUR COMMENCER Préparez tous vos ingrédients et vos ustensiles. Faites chauffer le four à 190 °C (th. 6). Remplissez une grande casserole d'eau chaude, faites-la chauffer à feu vif et couvrez-la. Installez la râpe fine dans le robot.

TARTELETTES Mettez les fonds de tartelettes dans un plat allant au four et versez dans chacun 1 cuillère à dessert de confiture de framboises. Émincez 4 demi-poires et répartissez-les sur les fonds de tartelette. Éparpillez dessus quelques feuilles de thym-citron si vous en utilisez.

PÂTES Séparez délicatement les blancs des jaunes d'œufs et mettez les jaunes dans un grand bol. Mettez les blancs dans un bol séparé pour les fouetter.

TARTELETTES Ajoutez le sucre et une pincée de sel dans le bol avec les blancs d'œufs. Allumez le batteur électrique et laissez-le tourner à fond jusqu'à ce que le mélange soit ferme et brillant.

PÂTES Ajoutez 3 cuillères à soupe d'huile d'olive extra-vierge et une bonne pincée de sel & poivre dans le bol avec les jaunes d'œufs. Râpez le parmesan au robot et versez-le dans le bol aux jaunes d'œufs avec le jus et les zestes des citrons. Mettez de côté quelques petites feuilles de basilic et divisez le reste de la botte en deux. Écrasez-en une moitié dans un mortier jusqu'à obtenir une pâte verte et hachez grossièrement l'autre moitié. Ajoutez les deux dans le bol. Remuez jusqu'à ce que tout soit mélangé, puis salez et poivrez.

TARTELETTES À ce stade, les blancs d'œufs doivent être brillants, lisses et épais, alors incorporez-y la pâte ou l'extrait de vanille, puis répartissez la meringue sur les tartelettes en formant de beaux pics. Mettez-les au milieu du four et réglez le minuteur sur 6 minutes, ou jusqu'à ce qu'elles soient belles et dorées.

SALADE Mettez la pancetta dans une poêle vide à feu moyen et ajoutez la gousse d'ail non pelée, écrasée. Une fois que les tranches sont dorées, retournez-les et ajoutez la cuillère à soupe de graines de fenouil. Pendant ce temps, videz le sachet de feuilles de salade sur un plat de service ou dans un grand bol. Déchirez-y rapidement les feuilles de menthe et d'estragon et ajoutez une grosse poignée de raisins, entiers ou coupés en deux. Quand la pancetta est bien croustillante, retirez la poêle du feu. Mélangez la salade et mettez-la sur un plat avec la pancetta croustillante et les graines de fenouil sur le dessus.

Préparez la vinaigrette. Versez 4 cuillères à soupe d'huile d'olive extra-vierge et 2 cuillères à soupe de vinaigre balsamique dans un petit broc ou un bocal. Ajoutez une pincée de sel & poivre et pressez-y le jus de ½ citron, puis portez à table avec la salade, pour pouvoir l'assaisonner juste avant de la manger.

PÂTES Empilez les feuilles de lasagnes sur une planche à découper et coupez-les délicatement en bandes assez fines – faites-le en plusieurs fois. Mettez-les dans la casserole d'eau bouillante avec une bonne pincée de sel. Remuez, posez le couvercle légèrement entrouvert et laissez cuire juste 1½ minutes, à gros bouillons.

TARTELETTES Surveillez vos tartelettes et sortez-les du four si elles sont cuites. Sortez votre glace du congélateur pour la servir avec les tartelettes quand vous serez prêt.

PÂTES Ces pâtes doivent être mangées sans tarder, alors appelez tout le monde à table. J'aime utiliser des pinces pour remuer les pâtes dans le mélange aux œufs, parce que l'eau de cuisson qu'elles apportent alors rend la sauce incroyable. Si vous trouvez que c'est trop délicat, égouttez les pâtes et gardez l'eau. Remuez rapidement les pâtes et la sauce, puis ajoutez 2 ou 3 cuillères d'eau de cuisson pour la rendre plus soyeuse, si nécessaire. Les pâtes fraîches n'arrêtent pas d'absorber l'eau alors détendez la sauce un peu plus que nécessaire et elle sera parfaite à table. Goûtez. Est-ce qu'il faut un peu plus de sel ou de parmesan pour équilibrer le jus de citron ? Si c'est le cas, rectifiez puis parsemez les pâtes des feuilles de basilic réservées et râpez dessus un peu plus de parmesan. Portez les pâtes à table, assaisonnez rapidement la salade et dégustez sur le champ.

LASAGNES AUX LÉGUMES D'ÉTÉ

POUR 6 À 8 PERSONNES

SALADE DE TOMATES TOSCANE
PETITS CORNETS DE YAOURT
GLACÉ À LA MANGUE

LASAGNES

une botte d'oignons nouveaux
½ boîte de 30 g d'anchois
   à l'huile
6 gousses d'ail
700 g d'asperges
500 g de petits pois surgelés
300 g de fèves surgelées
une belle botte de menthe fraîche
30 cl de crème liquide
1 citron
30 cl de bouillon de légumes bio
2 pots de 250 g de cottage cheese
2 x 250 g de feuilles de lasagnes
   fraîches
parmesan
quelques brins de thym frais

SALADE TOSCANE

½ pain ciabatta
1 cuillère à café de graines
   de fenouil
quelques brins d'origan
   ou de romarin
1 cuillère à soupe de petites
   câpres
½ boîte de 30 g d'anchois à l'huile
une petite botte de basilic frais
6 poivrons rouges en bocal
1 gousse d'ail
4 branches de tomates cerise,
   rouges et jaunes si possible
3 grosses tomates
vinaigre de vin rouge
parmesan, pour servir

ASSAISONNEMENT

huile d'olive
huile d'olive extra-vierge
sel de mer & poivre noir

DESSERT AUX MANGUES

500 g de mangues surgelées
2 cuillères à soupe de miel liquide
1 citron vert
quelques brins de menthe fraîche
250 g de yaourt nature
6 à 8 petits cornets à glace
chocolat noir de bonne qualité
   (d'une teneur en cacao d'au moins
   70 %), pour râper dessus

POUR SERVIR

une bouteille de vin blanc frais

POUR COMMENCER Préparez tous vos ingrédients et ustensiles. Remplissez à moitié la bouilloire et faites-la bouillir. Mettez une grande poêle à chauffer à feu vif. Faites chauffer le gril du four à fond. Installez la lame standard dans votre robot.

LASAGNES Épluchez et coupez finement les oignons nouveaux. Versez l'huile de la boîte d'anchois dans la poêle avec la moitié des anchois, ajoutez les oignons frais, écrasez-y 6 gousses d'ail non pelées et mélangez bien. Ôtez les extrémités des asperges, pelez-les et coupez finement les tiges en laissant les pointes entières. Mettez de côté les pointes et ajoutez les tiges dans la poêle avec une pincée de sel & poivre. Versez un filet de l'eau bouillie. et remuez pour que rien n'accroche.

SALADE Déchirez la ciabatta en morceaux de 2 cm. Mettez-les dans un plat à rôtir, arrosez-les d'huile d'olive et mélangez avec les graines de fenouil, quelques brins d'origan ou de romarin et une pincée de sel. Mélangez pour que le pain soit enrobé, puis placez-le sous le gril au milieu du four, environ 10 minutes ou jusqu'à ce qu'il soit doré.

LASAGNES Ajoutez les petits pois et les fèves dans la poêle avec les asperges, et remuez de temps en temps. Effeuillez la menthe, hachez grossièrement les feuilles et ajoutez-les avec la crème. Râpez-y le zeste de ½ citron.

SALADE Surveillez les croûtons. Une fois qu'ils sont dorés et croustillants, versez-les dans un bol et réservez.

LASAGNES Écrasez grossièrement tout ce qui est dans la poêle, goûtez et rectifiez les saveurs, si nécessaire. Couvrez de bouillon et portez à nouveau à ébullition. Ajoutez 1 pot de 250 g de cottage cheese dans le mélange de légumes. La consistance doit être assez crémeuse et souple. Mettez un plat à rôtir costaud à chauffer sur feu moyen. Versez-y environ un quart du mélange de légumes afin de couvrir le fond du plat. Couvrez avec une couche de lasagnes fraîches et une bonne quantité de parmesan râpé. Refaites d'autres couches jusqu'à ce qu'il n'y ait plus de légumes et terminez avec des lasagnes.

Mélangez un filet d'eau dans le deuxième pot de cottage cheese et étalez-le sur les lasagnes. Mélangez les pointes d'asperges dans la poêle vide avec un filet d'huile d'olive. Versez sur les lasagnes. Appuyez dessus avec le dos d'une cuillère pour compacter le tout et terminez avec les feuilles de thym, un filet d'huile d'olive et une bonne râpée de parmesan. Montez le feu sous le plat jusqu'à ce que ça fasse des bulles, puis placez-le sous le gril 8 minutes, au milieu du four, jusqu'à ce que ce soit doré et appétissant.

SALADE Prenez une grande planche à découper, hachez grossièrement et mélangez 1 cuillère à soupe de câpres avec la ½ boîte d'anchois, la plupart des feuilles de la botte de basilic et 4 des poivrons en bocal. Écrasez dessus 1 gousse d'ail non pelée, ajoutez toutes les tomates et hachez le tout. Récupérez le tout dans un grand bol de service, ajoutez un filet de vinaigre de vin rouge, arrosez bien d'huile d'olive extra-vierge, salez et poivrez.

Ajoutez les croûtons, puis déchirez-y les 2 derniers poivrons et écrasez le tout à la main. Goûtez et ajustez l'assaisonnement au besoin, en ajoutant du vinaigre de vin rouge. Couvrez avec les feuilles de basilic restantes, puis râpez un peu de parmesan dessus et portez à table.

DESSERT AUX MANGUES Mixez les morceaux de mangue surgelés avec 2 cuillères à soupe de miel, le jus de 1 citron vert, une bonne pincée de feuilles de menthe et 250 g de yaourt. Une fois que c'est lisse, mettez au congélateur.

POUR SERVIR Une fois les lasagnes dorées et bouillonnantes, portez-les à table avec le parmesan. Servez-les avec une bouteille de vin blanc frais. Au moment du dessert, sortez le yaourt du congélateur, répartissez-le dans les cornets et râpez un peu de chocolat dessus.

SPAGHETTIS ALLA PUTTANESCA

SALADE CROQUANTE

PAIN À L'AIL

GANACHE SOYEUSE AU CHOCOLAT

POUR 4 À 6 PERSONNES

PAIN À L'AIL

1 pain ciabatta
une petite botte
   de persil plat frais
3 à 4 gousses d'ail

SALADE

2 bulbes de fenouil
une botte de radis
1 citron

ASSAISONNEMENT

huile d'olive
huile d'olive extra-vierge
sel de mer & poivre noir

SPAGHETTIS

500 g de spaghettis secs
1 bocal de 225 g de thon à l'huile
2 gousses d'ail
1 cuillère à soupe de câpres, égouttées
1 boîte de 30 g de filets d'anchois
   à l'huile
1 à 2 piments rouges frais
une petite botte de persil plat frais
8 olives noires en bocal, dénoyautées
cannelle en poudre
1 bocal de 700 g de passata ou
   2 boîtes de 400 g de tomates
   concassées
1 citron

GANACHE

2 tablettes de 100 g de chocolat noir
   de bonne qualité (d'une teneur
   d'environ 70 % en cacao)
une grosse noix de beurre
30 cl de crème liquide
3 clémentines
12 palmiers ou d'autres bons biscuits
   pour tremper

POUR SERVIR

une bouteille de Valpolicella frais

POUR COMMENCER Préparez tous vos ingrédients et vos ustensiles. Remplissez la bouilloire d'eau et faites-la bouillir. Faites chauffer le four à 180 °C (th. 6). Mettez une grande poêle et une grande casserole profonde à chauffer sur feu doux. Installez le disque à émincer épais dans le robot.

PAIN À L'AIL Tranchez la ciabatta tous les 2 cm, aux trois quarts de son épaisseur. Hachez finement la botte de persil. Chiffonnez une feuille de papier sulfurisé sous le robinet puis étalez-la. Parsemez-la de persil et d'une pincée de sel & poivre. Arrosez-la généreusement d'huile d'olive, écrasez 3 ou 4 gousses d'ail non pelées dessus et étalez ce mélange partout sur le pain avec les mains, en appuyant dans les creux. Enveloppez-le bien, mettez-le dans le four et surveillez-le de temps en temps.

GANACHE Versez l'eau bouillie dans la casserole pour les pâtes et mettez un grand bol résistant à la chaleur dessus (ne laissez pas le bol toucher l'eau). Cassez les tablettes de chocolat dans leur emballage, puis ouvrez-les et mettez-les dans le bol. Ajoutez le beurre, la crème et une pincée de sel. Râpez-y finement le zeste de 1 clémentine, remuez doucement et laissez fondre.

SPAGHETTIS Soulevez le bol avec le chocolat, mettez les spaghettis dans l'eau avec une pincée de sel et faites-les cuire suivant les instructions sur le paquet. Reposez le bol dessus. Surveillez l'ensemble – si ça a l'air de bouillir et de déborder, baissez légèrement le feu. Versez l'huile du thon dans la poêle, en gardant le thon dans le bocal. Écrasez-y 2 gousses d'ail non pelées et ajoutez les câpres, les anchois et leur huile. Hachez finement les piments et les tiges de persil et ajoutez-les dans la poêle. Vérifiez rapidement vos spaghettis et remuez-les. Hachez grossièrement les feuilles de persil et mettez-les de côté. Revenez à votre poêle, laissez cuire 2 minutes en remuant bien puis ajoutez le thon, en l'émiettant, et les olives noires. Remuez-y une grosse pincée de cannelle en poudre et la passata ou les tomates concassées.

GANACHE Une fois qu'il est fondu, remuez bien le chocolat et répartissez-le dans 6 tasses à expresso. Coupez les 2 clémentines restantes en deux et posez-les sur une planche à côté des palmiers. Portez à table.

SALADE Ôtez les bases des fenouils et coupez-les en quartiers. Coupez les feuilles des radis. Mettez les fenouils et les radis dans le robot et émincez-les. Versez-les dans un grand saladier. Pressez-y le jus de 1 citron, ajoutez 2 lampées d'huile d'olive extra-vierge et une pincée de sel & poivre, puis remuez et écrasez avec les doigts. Goûtez et rectifiez l'assaisonnement si nécessaire avant de porter la salade à table.

SPAGHETTIS Une fois que les pâtes sont cuites, égouttez-les et conservez un peu de l'eau de cuisson. Versez délicatement les pâtes dans la poêle avec la sauce. Ajoutez la plupart du persil mis de côté, pressez-y le jus de citron, arrosez d'huile d'olive extra-vierge et remuez bien. Ajoutez de l'eau de cuisson pour allonger un peu la sauce si nécessaire. Versez sur un plat, éparpillez dessus le persil restant et portez à table.

POUR SERVIR Portez directement le pain à l'ail du four à la table et déballez-le. Versez le vin rouge dans des verres et laissez tout le monde se servir.

PIZZA DE TRICHEUR

TRIO DE DÉLICIEUSES SALADES

ÉCRASÉE DE CERISES

CRÈME À LA VANILLE

& AU MASCARPONE

POUR 4 PERSONNES

PIZZA

1½ mug de farine à levure incorporée,
   plus un peu pour fariner
½ mug d'eau tiède

GARNITURE

1 boîte de 400 g de tomates
   concassées
quelques brins de basilic frais
½ gousse d'ail
vinaigre de vin rouge
½ boule de 125 g de mozzarella
   de bufflonne
du parmesan, pour râper dessus
8 tranches de salami
1 cuillère à café de graines de fenouil
½ piment rouge frais

SALADE DE ROQUETTE

1 sachet de 100 g de roquette

sauvage prête à l'emploi
½ citron

SALADE DE TOMATES

500 g d'un mélange de tomates
   intéressantes : cerise, allongées…
   de plusieurs couleurs
   si vous en trouvez
½ piment rouge frais
quelques brins de basilic frais
1 cuillère à soupe de vinaigre
   balsamique
½ gousse d'ail

SALADE DE MOZARELLA

1½ boule de 125 g de mozzarella
   au lait de bufflonne
¼ de bocal de pesto vert
quelques brins de basilic frais
1 citron

ASSAISONNEMENT

huile d'olive
huile d'olive extra-vierge
sel de mer & poivre noir

DESSERT AUX CERISES

2 grosses poignées de glace
300 g de cerises ou d'un autre fruit
   de saison
125 g de mascarpone
5 cl de lait
1 cuillère à soupe bombée
   de sucre glace
1 clémentine
1 cuillère à soupe de pâte ou
   d'extrait de vanille
quelques palmiers ou d'autres
   bons biscuits pour servir

POUR COMMENCER Préparez tous vos ingrédients et vos ustensiles. Faites chauffer le gril du four à fond. Mettez une grande poêle (d'un diamètre de 30 à 32 cm) allant au four, à chauffer à feu doux. Installez la lame standard dans le robot.

SALADE DE TOMATES Écrasez les tomates cerise avec les mains dans un bol. Coupez les plus grosses tomates en tranches grossières et ajoutez-les dans le bol. Coupez finement le piment et ajoutez-le, puis déchirez-y les plus grandes feuilles de quelques brins de basilic. Ajoutez 3 cuillères à soupe d'huile d'olive extra-vierge, 1 ou 2 cuillères à soupe de vinaigre balsamique, puis assaisonnez à la perfection. Râpez-y finement ½ gousse d'ail pelée. Mélangez et portez à table avec les petites feuilles de basilic parsemées dessus.

PIZZA Faites chauffer la poêle à feu vif et farinez un plan de travail propre. Versez 1½ mug de farine dans le robot, puis remplissez à moitié le même mug d'eau tiède et ajoutez-la à la farine avec une pincée de sel et une lampée d'huile d'olive. Mixez jusqu'à ce que ce soit lisse, puis versez cette pâte sur le plan de travail fariné. Saupoudrez le haut de la pâte et le rouleau à pâtisserie de farine (la pâte est assez humide, alors soyez généreux avec la farine). Étalez la pâte sur 1 cm d'épaisseur. Versez de l'huile d'olive dans la poêle, puis farinez à nouveau la pâte et pliez-la délicatement en forme de demi-lune. Pliez délicatement la demi-lune en deux, puis portez la pâte dans la poêle et dépliez-la, en l'appuyant bien contre les bords. Si vous n'avez pas de poêle de cette taille, ne faites pas cuire toute la pâte en même temps, coupez-la en deux et faites deux pizzas.

GARNITURE Mettez un tiers des tomates en boîte dans un blender avec quelques brins de basilic, ½ gousse d'ail pelée, un filet de vinaigre de vin rouge, une lampée d'huile d'olive extra-vierge et une pincée de sel. Mixez jusqu'à ce que ce soit lisse. Versez au milieu de la base de la pizza et étalez harmonieusement. Déchirez ½ boule de mozzarella en petits morceaux et éparpillez-les sur la base. Râpez finement une couche de parmesan dessus, puis couvrez avec les tranches de salami. J'aime bien piler les graines de fenouil dans un mortier et hacher finement le piment avant de les parsemer sur la pizza. Mettez la poêle sous le gril chaud, 4 à 5 minutes, jusqu'à ce que ce soit doré et bien cuit.

SALADE DE MOZARELLA Déchirez 1½ boule de mozzarella en gros morceaux et disposez-les sur un grand plat. Versez un peu de pesto sur chaque morceau. Poivrez-les et effeuillez le basilic dessus. Râpez finement dessus le zeste de citron et arrosez d'huile d'olive extra-vierge. Portez à table.

SALADE DE ROQUETTE Ouvrez le sachet de roquette et versez-y de l'huile d'olive extra-vierge, pressez-y le jus de ½ citron, salez et poivrez. Mélangez la roquette dans le sachet avec les mains, versez-la dans un saladier et portez à table.

PIZZA Sortez-la du four, transférez-la sur une planche en bois et parsemez dessus les petites feuilles de basilic mises de côté. Arrosez-la d'un peu d'huile d'olive extra-vierge et portez-la immédiatement à table.

DESSERT AUX CERISES Mettez un peu d'eau froide dans un grand saladier. Ajoutez la glace et les cerises. Versez le mascarpone dans un autre bol, ajoutez le lait et mélangez avec le sucre glace. Râpez-y finement le zeste de la clémentine. Ajoutez la pâte ou l'extrait de vanille dans le bol. Mélangez bien. Répartissez la crème dans des bols de service, écrasez les cerises froides dessus, puis mettez-les sur la table avec des biscuits pour tremper.

RISOTTO MOELLEUX AUX CHAMPIGNONS

SALADE D'ÉPINARDS

CHEESE-CAKE EXPRESS AUX FRAMBOISES & AU CITRON

POUR 4 PERSONNES

RISOTTO

1 gros oignon blanc
1 branche de céleri
15 g de cèpes secs
2 brins de romarin frais
300 g de riz à risotto
½ verre de vin blanc
1 cube de bouillon de légumes
   ou de volaille bio
500 g de champignons mélangés :
   champignons de Paris, pleurotes,
   shiitakes
1 gousse d'ail
1 petite botte de thym frais
1 grosse noix de beurre
1 morceau de 40 g
   de parmesan
½ citron
½ petite botte de persil plat frais

SALADE

100 g de pignons
1 cuillère à soupe de vinaigre
   balsamique
½ citron
200 g de pousses d'épinards
   prêtes à l'emploi
3 gros brins de menthe fraîche
5 tomates confites en bocal
1 concombre moyen

ASSAISONNEMENT

huile d'olive
huile d'olive extra-vierge
sel de mer & poivre noir

CHEESE-CAKE

50 g de beurre
50 g de noisettes mondées
8 biscuits au gingembre
1 citron
4 cuillères à café bombées
   de lemon curd de bonne qualité
1 barquette de framboises (environ 150 g)
250 g de fromage frais allégé
   (Philadelphia, Saint-Morêt, Kiri…),
   de mascarpone ou de crème fraîche
1 cuillère à café de pâte
   ou d'extrait de vanille
un peu de lait
1 cuillère à soupe de sucre glace
chocolat noir de bonne qualité
   (70 % de cacao environ), pour râper

POUR COMMENCER Préparez tous vos ingrédients et vos ustensiles. Remplissez la bouilloire et faites-la bouillir. Mettez une grande casserole à bord haut à chauffer à feu moyen. Faites chauffer le gril du four à fond. Placez 4 verres pour les desserts dans le congélateur. Installez la lame standard dans le robot.

RISOTTO Coupez l'oignon en deux et pelez-le, puis mettez-le dans le robot avec le céleri et les cèpes secs. Mixez jusqu'à ce que ce soit lisse. Arrosez la casserole de deux lampées d'huile d'olive, puis versez-y les légumes et remuez de temps en temps.

SALADE Mettez les pignons dans une grande poêle allant au four. Faites-les légèrement dorer à feu moyen, puis versez-les dans un petit bol et mettez de côté.

RISOTTO Hachez finement les feuilles de romarin et versez-les dans la casserole avec le riz. Remuez bien pendant 1 minute, versez-y le vin blanc et émiettez-y le cube de bouillon, en remuant jusqu'à ce que le vin soit absorbé. Assaisonnez, ajoutez un mug d'eau bouillante et mélangez bien. Revenez régulièrement vers le risotto et ajoutez de bonnes lampées d'eau, ou de bouillon si vous en avez (environ 1 litre), toutes les minutes durant 16 à 18 minutes. Vous allez faire ressortir l'amidon du riz et l'empêcher de coller.

Remettez la grande poêle allant au four, utilisée pour les pignons, à chauffer à feu vif. Rincez les champignons s'ils ont l'air sales. Déchirez-en la moitié dans la casserole à risotto et l'autre moitié dans la poêle chaude avec de l'huile d'olive extra-vierge et une bonne pincée de sel & poivre. Écrasez dessus 1 gousse d'ail non pelée. Effeuillez quelques brins de thym dessus, mélangez et retirez du feu. Effeuillez les autres brins de thym dans la casserole à risotto.

CHEESE-CAKE Mettez le beurre dans une poêle moyenne à feu vif. Enveloppez les noisettes et les biscuits dans un torchon propre et écrasez-les avec un rouleau à pâtisserie.

Baissez le feu sous le beurre fondu, versez-y les noix et les biscuits écrasés et remuez. Râpez-y finement le zeste de citron et mélangez bien. Sortez les verres du congélateur et répartissez le mélange dedans, en appuyant dessus jusqu'à ce que ce soit compact.

RISOTTO Mettez à griller la poêle avec les champignons sous le gril du four. Continuez à remuer le risotto.

SALADE Mettez 1 cuillère à soupe de vinaigre balsamique, le jus de ½ citron, 3 cuillères à soupe d'huile d'olive extra-vierge et une bonne pincée de sel & poivre dans un grand saladier avec les pignons grillés. Assaisonnez à votre goût. Prenez des poignées de pousses d'épinards, coupez-les en lanières d'environ 1 cm et ajoutez-les, avec quelques feuilles de menthe, dans le saladier. Hachez grossièrement les tomates séchées et ajoutez-les. Striez le concombre dans la longueur avec une fourchette, coupez-le en deux, puis en biais en tranches de 1 cm. Ajoutez-les dans le saladier puis portez-le à table, sans mélanger.

CHEESE-CAKE Déposez 1 cuillère à soupe bombée de lemon curd dans chaque verre et couvrez avec quelques framboises. Versez le fromage frais dans un bol, ajoutez la vanille et un filet de lait. Remuez, ajoutez le sucre glace, encore un filet de lait et mélangez bien, jusqu'à ce que ce soit lisse et soyeux. Répartissez dans les verres, râpez dessus un peu de chocolat noir et mettez de côté.

RISOTTO Vérifiez que les champignons soient dorés et croustillants, retirez-les du gril. Le risotto doit ressembler à du porridge. Mélangez-y le beurre, râpez dessus la plupart du parmesan et ajoutez un bon filet de jus de citron. Salez, poivrez et ajoutez encore un filet d'eau ou de bouillon. Hachez le persil et parsemez-en la moitié sur le risotto et la moitié sur les champignons. Couvrez le risotto et portez-le à table avec les champignons.

POUR SERVIR Répartissez le risotto dans vos bols avec les champignons dessus. Mélangez la salade. Terminez avec une généreuse râpée de parmesan.

TOURTE FILO AUX ÉPINARDS & À LA FETA

SALADE DE CONCOMBRE

SALADE DE TOMATES

GLACE « EN CROÛTE »

POUR 4 À 6 PERSONNES

TOURTE AUX ÉPINARDS & À LA FETA

100 g de pignons
5 œufs
300 g de feta
50 g de cheddar
origan sec
1 citron
une noix de beurre
400 g de pousses d'épinards prêtes à l'emploi
1 paquet de 270 g de pâte filo
poivre de Cayenne
1 noix muscade pour râper

SALADE DE CONCOMBRE

1 concombre
10 olives noires
2 cuillères à soupe de vinaigre balsamique
3 oignons nouveaux
½ citron
½ piment rouge frais
5 ou 6 brins de menthe fraîche

SALADE DE TOMATES

une petite botte de basilic frais
1 gousse d'ail
vinaigre de vin blanc
300 g de tomates cerise mélangées

facultatif : une petite botte de basilic grec frais

ASSAISONNEMENT

huile d'olive
huile d'olive extra-vierge
sel de mer & poivre noir

GLACE « EN CROÛTE »

4 cuillères à soupe de grains de café
100 g de noisettes
1 tablette de 100 g de chocolat noir de bonne qualité (d'une teneur de 70 % en cacao)
glace vanille de bonne qualité

POUR COMMENCER Préparez tous vos ingrédients et ustensiles. Faites chauffer le four à 200 °C (th. 6) et une poêle moyenne (d'un diamètre d'environ 26 cm) allant au four, à feu moyen. Installez la lame standard dans le robot.

TOURTE Mettez les pignons à griller dans la poêle allant au four, sans matière grasse, remuez un peu. Cassez 5 œufs dans un bol et émiettez-y 300 g de feta. Râpez-y 50 g de cheddar. Ajoutez une pincée de poivre, deux pincées d'origan sec, le zeste de 1 citron et une lampée d'huile d'olive. Ajoutez les pignons dorés dans le mélange aux œufs et mélangez bien.

Remettez la poêle vide sur le feu, ajoutez un peu d'huile d'olive et une noix de beurre et empilez la moitié des épinards dedans. Remuez-les délicatement et ajoutez-en au fur et à mesure qu'ils se flétrissent. Faites attention que ça n'attache pas, et dès qu'il y a de la place, ajoutez le reste des épinards en remuant souvent.

Sortez la pâte filo du réfrigérateur. Étalez une grande feuille de papier sulfurisé, d'environ 50 cm, sur le plan de travail, frottez un peu d'huile d'olive dessus et chiffonnez-la puis étalez-la à nouveau. Disposez 4 feuilles de filo en grand rectangle, avec les bords qui se chevauchent, pour qu'elles couvrent presque le papier. Frottez-les d'huile d'olive. Saupoudrez-les de sel & poivre et d'une pincée de Cayenne. Recommencez jusqu'à ce que vous obteniez 3 couches. Ne vous inquiétez pas s'il y a des craquelures. Continuez à remuer les épinards.

Une fois que les épinards sont bien denses, retirez la poêle du feu. Ajoutez la « tombée » d'épinards dans le mélange aux œufs et râpez-y ½ noix muscade. Mélangez bien. Transférez délicatement la feuille de papier sulfurisé avec la pâte filo dans la poêle vide en laissant les bords déborder. Appuyez la pâte le long des bords de la poêle, puis versez-y le mélange aux œufs et étalez-le. Repliez les feuilles de filo dessus et laissez-les se mettre en place (☕). Remettez la poêle sur un feu moyen quelques minutes afin que la base commence à cuire, puis placez-la en haut du four 18 à 20 minutes, ou jusqu'à ce que la tourte soit dorée et croustillante.

SALADE DE CONCOMBRE Striez le concombre de tous les côtés avec une fourchette, coupez-le en deux puis en quatre dans la longueur, et coupez chaque quart en tronçons de 1 cm. Placez-les dans un bol et mettez de côté. Égouttez 10 olives noires, dénoyautez-les et déchirez-les dans un autre bol. Versez dessus 2 cuillères à soupe de vinaigre balsamique et appuyez sur les olives pour que le vinaigre commence à absorber leur sel. Pelez et coupez finement les oignons nouveaux et ajoutez-les aux olives.

Arrosez le mélange aux olives de 4 cuillères à soupe d'huile d'olive extra-vierge et du jus de ½ citron, mélangez bien. Épépinez et coupez finement ½ piment rouge et ajoutez-le avec le concombre. Coupez finement les feuilles de menthe sur le concombre. Versez l'assaisonnement, mélangez, arrosez d'huile d'olive extra-vierge et portez à table.

TOURTE Surveillez la tourte.

GLACE Mettez les grains de café dans un robot et mixez-les. Ajoutez les noisettes et mixez-les en poudre. Cassez le chocolat dans son emballage contre le plan de travail (ça marche mieux s'il sort juste du frigo) et ajoutez-le dans le robot. Mixez, versez dans un bol et mettez de côté.

SALADE DE TOMATES Rincez rapidement le bol du robot. Arrachez le haut de la botte de basilic en gardant de côté quelques petites feuilles, et mettez-le dans le robot avec une bonne pincée de sel & poivre, 1 gousse d'ail pelée, quelques bonnes lampées d'huile d'olive extra-vierge et un filet de vinaigre de vin blanc. Mixez jusqu'à obtenir une huile vert foncé. Goûtez et rectifiez l'assaisonnement. Coupez les tomates en deux ou en quatre. Versez l'assaisonnement sur un plat et posez les tomates dessus. Parsemez des feuilles de basilic grec (si vous en utilisez) ou des petites feuilles de basilic, salez, portez à table et mélangez au dernier moment.

POUR SERVIR Sortez la glace du congélateur. Portez la tourte à table avec les salades. En fin de repas, apportez la glace à table avec le bol de « croûte » en poudre. Roulez-y une boule de glace pour l'enrober et mangez-la tout de suite. Vous pouvez conserver la poudre restante dans une boîte hermétique.

SOUPE DE TOMATES

GROS CROÛTONS
LÉGUMES CROQUANTS
& GUACAMOLE
PUDDING MOELLEUX
AUX PRUNEAUX

POUR 4 PERSONNES

SOUPE DE TOMATES ET CROÛTONS

1 kg de tomates cerise en grappe
   mûres, rouges et jaunes
   si vous en trouvez
4 grosses tomates
1 piment rouge frais
4 gousses d'ail
1 pain ciabatta
2 petits oignons rouges
4 cuillères à soupe de vinaigre
   balsamique
une petite botte de basilic frais
quelques cuillères de crème fraîche,
   pour servir

ASSAISONNEMENT

huile d'olive
huile d'olive extra-vierge
sel de mer & poivre noir

ASSIETTE DE GUACAMOLE

une poignée de tomates cerise
   de couleurs différentes
1 à 2 piments rouges frais
une poignée de coriandre
   fraîche
2 avocats mûrs
2 citrons verts
½ bulbe de fenouil
1 carotte
½ concombre
½ paquet de gressins de 125 g
   ou d'autres bâtonnets de pain

PUDDINGS AUX PRUNEAUX

1 boîte de 290 g de pruneaux
   dénoyautés
100 g de farine ordinaire
50 g de sucre roux ou de cassonade
50 g de beurre doux, à température
   ambiante
1 cuillère à café bombée de
   gingembre en poudre
½ cuillère à café rase de bicarbonate
   de soude
1 œuf
7,5 cl de lait
de la mélasse, ou du miel liquide,
   pour servir
quelques cuillères de crème fraîche,
   pour servir

POUR COMMENCER Préparez tous vos ingrédients et vos ustensiles. Faites chauffer le four à 220 °C (th. 7) et faites chauffer une grande casserole à feu doux. Installez la lame standard dans le robot.

SOUPE Enlevez les tomates des branches, mais laissez quelques-uns de leurs pédoncules verts. Coupez les plus grandes tomates en quatre et mettez toutes les tomates dans un plat à rôtir. Arrosez-les d'une bonne lampée d'huile d'olive et assaisonnez-les. Coupez le piment rouge en deux, épépinez-le et ajoutez-le dans le plat. Écrasez-y 4 gousses d'ail pelées. Mélangez rapidement le tout et mettez en haut du four 12 à 15 minutes.

CROÛTONS Prenez un autre plat à rôtir et déchirez la ciabatta en 8 morceaux égaux. Ajoutez une bonne lampée d'huile d'olive, une pincée de sel et glissez en bas du four.

SOUPE Pelez et hachez grossièrement les oignons puis mettez-les dans la casserole chaude avec une lampée d'huile d'olive et une bonne pincée de sel. Passez sur feu moyen et laissez-les ramollir, en remuant de temps en temps.

PUDDINGS Prenez 4 tasses qui tiennent en même temps dans votre micro-ondes. Mettez les pruneaux dans un bol et versez 1 cuillère à soupe de leur jus sirupeux dans chaque tasse. Répartissez les pruneaux entre les 4 tasses.

SOUPE Mélangez 4 cuillères à soupe de vinaigre balsamique dans les oignons, laissez-le cuire et réduire.

PUDDINGS Mettez la farine, le sucre, le beurre, le gingembre en poudre et le bicarbonate de soude dans un robot et mixez. Cassez-y l'œuf et ajoutez le lait. Mixez jusqu'à ce que ce soit lisse (vous aurez peut-être besoin de gratter les bords et de mixer à nouveau). Remplissez les tasses (aux deux tiers) et mettez de côté.

GUACAMOLE Pressez les tomates cerise sur une grande planche, hachez finement la chair avec le piment rouge et une poignée de feuilles de coriandre (avec le haut des tiges).

SOUPE Sortez le plat de tomates du four et versez le tout dans la casserole avec les oignons.

CROÛTONS Surveillez-les – s'ils sont croustillants et dorés, éteignez le four, mais laissez-les à l'intérieur afin de les garder au chaud.

GUACAMOLE Coupez les avocats en deux et dénoyautez-les, puis pressez-les sur la planche pour que la chair sorte de la peau. Jetez les peaux, ajoutez une pincée de sel, pressez dessus le jus de 2 citrons verts et hachez finement le tout. Goûtez et rectifiez l'assaisonnement si nécessaire puis, à l'aide de votre couteau, repoussez tout d'un côté de la planche. Coupez le ½ bulbe de fenouil en tranches. Pelez la carotte, coupez-la en quatre dans la longueur puis en bâtonnets et faites la même chose avec le concombre. Parsemez les légumes d'une pincée de sel et disposez-les à côté du guacamole. Mettez une poignée de gressins dans un verre et portez-le à table avec la planche de guacamole.

SOUPE Versez les légumes de la casserole en deux fois dans un blender. Ajoutez la plupart du basilic, mettez le couvercle, couvrez avec un torchon et mixez grossièrement. Versez le liquide, au fur et à mesure, dans une grande casserole ou dans un bol. Mélangez bien, assaisonnez et ajoutez une grosse cuillère de crème fraîche, quelques feuilles de basilic et un filet d'huile d'olive extra-vierge. Portez à table avec des bols à soupe et le plat de croûtons.

PUDDINGS Juste avant de servir, mettez les puddings dans le micro-ondes et faites-les cuire 6 minutes à puissance maximale.

POUR SERVIR Mettez un ou deux croûtons au fond de chaque bol à soupe. Versez la soupe dessus, puis régalez-vous et laissez chacun se servir de guacamole. Quand les desserts sont prêts, portez-les à table, arrosez-les d'un peu de mélasse ou de miel, couvrez-les de crème fraîche. Retournez-les dans les tasses avec une cuillère : c'est la fête !

CURRY

ROGAN JOSH

RIZ AÉRIEN

SALADE DE CAROTTES

PAPPADUMS

CHAPPATTIS

BIÈRE

POUR 4 À 6 PERSONNES

CURRY

2 oignons
1 courge butternut moyenne
1 petit chou-fleur
facultatif : 1 piment rouge frais
4 gousses d'ail
une botte de coriandre fraîche
½ bocal de 283 g de la pâte rogan
    josh Patak's
1 boîte de 400 g de pois chiches
100 g de pousses d'épinards
    prêtes à l'emploi
500 g de yaourt nature

RIZ

1 mug de riz basmati
quelques clous de girofle entiers

SALADE DE CAROTTES

une poignée d'amandes effilées
5 ou 6 carottes
1 piment rouge frais
une botte de coriandre fraîche
un morceau de gingembre frais
    de 2 cm
1 citron

CHAPPATTIS

1 paquet de chappattis
curcuma, pour saupoudrer

PICKLE AU CITRON

1 citron
2 cuillères à café de graines
    de moutarde
1 cuillère à café rase de curcuma
¼ de piment rouge frais
1 petit piment sec

ASSAISONNEMENT

huile d'olive
huile d'olive extra-vierge
sel de mer & poivre noir

POUR SERVIR

1 paquet de pappadums
de la bière fraîche

POUR COMMENCER Préparez tous vos ingrédients et vos ustensiles. Remplissez et faites bouillir la bouilloire. Faites chauffer une grande casserole à feu vif. Faites chauffer le four à 180 °C (th. 6). Installez la râpe épaisse dans le robot.

CURRY Pelez et coupez les oignons en tranches fines et ajoutez-les dans la grande casserole avec un filet d'eau et quelques bonnes lampées d'huile d'olive. Coupez précautionneusement la courge butternut en deux. Pour gagner du temps, je n'utilise que le haut sans graines. Enveloppez la base et mettez-la au frigo pour une autre occasion. Coupez le haut en quatre, dans la longueur, et détaillez-le en morceaux de 1 cm – vous n'avez pas besoin de les peler (☺). Ajoutez-les dans la casserole. Ôtez la base du chou-fleur et retirez les feuilles extérieures. Coupez-le en morceaux de la taille d'une bouchée et jetez-les dans la casserole. Pour plus de piquant, coupez finement le piment et ajoutez-le. Écrasez-y les gousses d'ail non pelées. Hachez finement la coriandre (avec les tiges). Réservez quelques feuilles pour la décoration et ajoutez le reste dans la casserole avec quelques généreux filets d'eau bouillie. Ajoutez la pâte de rogan josh et la boîte de pois chiches. Assaisonnez, mélangez bien et couvrez. Faites cuire à feu vif, en remuant de temps en temps.

RIZ Versez le mug de riz dans une casserole moyenne, avec un peu d'huile d'olive et quelques clous de girofle, puis couvrez avec 2 mugs d'eau bouillie (le même mug que pour le riz). Salez, couvrez et faites bouillir à feu moyen 7 minutes. Remplissez la bouilloire et faites-la chauffer.

CHAPPATTIS Chiffonnez une grande feuille de papier sulfurisé sous le robinet. Aplatissez-la, puis empilez les chappattis dessus, en arrosant chacun d'un peu d'huile d'olive et d'une petite pincée de curcuma. Enveloppez-les dans le papier et placez-les au milieu du four.

SALADE Faites griller les amandes dans une petite casserole à feu moyen, en les remuant de temps en temps, jusqu'à ce qu'elles soient dorées. Lavez et pelez les carottes. Râpez-les au robot en utilisant la râpe épaisse,

avec le piment (sans la tige et les graines), le tiers du haut d'une botte de coriandre et un morceau de gingembre de 2 cm, pelé. Versez dans un bol de service.

CURRY Vérifiez et ajoutez un filet d'eau s'il a l'air un peu sec. Remuez et remettez le couvercle.

RIZ Au bout des 7 minutes, retirez le riz du feu et laissez-le reposer à couvert 7 minutes. Cuit à l'étuvée, il deviendra aérien et prendra un goût de noix.

SALADE Arrosez la salade d'un peu d'huile d'olive extra-vierge et ajoutez une pincée de sel. Râpez-y finement un peu de zeste de citron, puis ajoutez un bon filet de jus de citron, mélangez. Parsemez des amandes effilées et de la moitié des feuilles de coriandre réservées. Portez à table.

CURRY Retirez le couvercle. Avez-vous besoin de rectifier la consistance à ce stade ? Si oui, vous pouvez ajouter un bon filet d'eau bouillie, suivant que vous le vouliez plus ou moins liquide. Ou écrasez un peu quelques légumes pour avoir des textures différentes. Goûtez et ajoutez une pincée de sel si nécessaire, puis ajoutez les épinards et mélangez.

PICKLE Coupez le citron en huit, épépinez-le et coupez-le en tranches fines. Coupez finement le ¼ de piment rouge. Remettez la petite casserole dans laquelle vous avez grillé les amandes à chauffer à feu moyen-vif. Ajoutez un filet d'huile d'olive dans la casserole et les graines de moutarde, le curcuma et le piment émincé. Émiettez-y le piment sec. Quand tout commence à grésiller, ajoutez le citron émincé, une pincée de sel, comptez jusqu'à dix, retirez du feu et versez dans un bol pour que ça refroidisse.

POUR SERVIR Versez la moitié du yaourt dans un bol. Arrosez-le d'un peu d'huile d'olive extra-vierge et portez-le à table avec les pappadums et le bol de pickle au citron. Sortez les chappattis du four et portez-les directement à table. Transférez le riz et le curry dans des bols de service. Versez le reste de yaourt sur le curry, parsemez-le avec le reste des feuilles de coriandre et portez les deux bols à table. Décapsulez vos bières et attaquez !

CURRY VERT

POULET CROUSTILLANT
SALADE DE KIMCHI
NOUILLES DE RIZ

POUR 4 PERSONNES

POULET

8 cuisses de poulet, avec la peau
   et les os
2 cuillères à soupe de graines
   de sésame
2 grosses cuillères à soupe
   de miel liquide

SALADE DE KIMCHI

1 petite botte de radis
1 oignon rouge
½ chou chinois
une petite botte de coriandre fraîche
1 piment rouge frais
1 piment vert frais
un morceau de 2 cm
   de gingembre frais

2 citrons verts
huile de sésame

SAUCE AU CURRY

un morceau de de 2 cm
   de gingembre frais
2 piments rouges frais
facultatif : des feuilles de citronnier
   (kaffir si possible)
une botte de coriandre fraîche
4 gousses d'ail
1 tige de citronnelle
une petite botte d'oignons nouveaux
huile de sésame
30 cl de bouillon de volaille bio
200 g de haricots verts extra fins
40 cl de lait de coco

jus de citron vert
sauce de soja

NOUILLES

250 g de nouilles de riz
1 citron vert

ASSAISONNEMENT

huile d'olive
sel de mer & poivre noir

GARNITURES

chips de crevettes
sauce chili
1 citron vert
½ laitue ou romaine
½ sachet de pousses de soja
quelques brins de coriandre fraîche

POUR COMMENCER Préparez tous vos ingrédients et tous vos ustensiles. Faites chauffer une grande poêle et une plus petite à feu vif. Installez le disque à émincer fin dans le robot.

POULET Mettez les cuisses de poulet dans la plus grande poêle, côté peau vers le bas. Arrosez-les d'huile d'olive, ajoutez une pincée de sel & poivre et laissez-les cuire, en les retournant toutes les minutes environ, pendant 18 à 20 minutes ou jusqu'à ce qu'elles soient cuites.

SALADE Lavez bien les radis. Pelez l'oignon rouge et coupez-le en deux. Émincez les radis, l'oignon rouge et le chou chinois au robot. Versez-les dans un saladier. Mettez la botte de coriandre et les piments (sans leur tige) dans le robot et mixez. Pelez le gingembre et écrasez-le dans le mélange avec la coriandre, puis versez dans le saladier.

POULET Posez du papier sulfurisé sur le poulet, puis placez la petite poêle dessus, avec quelque chose de lourd comme un mortier pour appuyer. La chaleur de la petite poêle va faire cuire le poulet des deux côtés et le rendre super croustillant.

SAUCE Installez la lame standard dans le robot. Pelez le gingembre et mettez-le dans le robot avec les piments (sans leur tige), les feuilles de citronnier et la plupart de la coriandre. Écrasez-y 4 gousses d'ail non pelées. Fendez la citronnelle et jetez les feuilles extérieures, pelez les oignons nouveaux et ajoutez le tout dans le robot. Mixez pour obtenir une pâte, en ajoutant au fur et à mesure un bon filet d'huile de sésame et quelques bonnes lampées d'huile d'olive.

POULET Posez la poêle du haut sur un feu moyen et jetez le papier sulfurisé. Égouttez le gras et retournez le poulet, côté peau vers le haut. Ajoutez 2 cuillères à soupe de graines de sésame dans la poêle vide et faites-les griller et dorer, en les remuant de temps en temps, versez-les dans un bol et ôtez la poêle du feu.

SALADE Pressez le jus de 2 citrons verts dans le saladier et ajoutez une pincée de sel et un filet d'huile de sésame. Écrasez bien le tout avec les mains. Goûtez pour vérifier l'équilibre, puis mettez une grande casserole sur feu moyen.

POULET Égouttez à nouveau délicatement le gras, puis essuyez la poêle avec du papier absorbant et baissez le feu. Ajoutez 2 cuillères à soupe de pâte de curry du robot, mélangez pour enrober et laquer le poulet, puis retournez-le et poursuivez la cuisson pour qu'il soit collant et délicieux. Remplissez la bouilloire d'eau et faites-la bouillir.

SAUCE Versez le reste de la pâte de curry dans la casserole chaude et mélangez-y le bouillon de volaille. Équeutez les haricots verts et ajoutez-les. Montez le feu sous la casserole, secouez le lait de coco, puis ajoutez-le et mélangez. Portez à ébullition, puis baissez le feu et laissez cuire.

NOUILLES Mettez les nouilles dans la poêle vide avec une pincée de sel et couvrez-les d'eau bouillie. Laissez quelques minutes et dès que les nouilles sont assez molles pour être mangées, égouttez-les rapidement, puis rincez-les à l'eau froide et remettez-les dans la poêle. Arrosez-les d'huile de sésame et d'un bon filet de jus de citron vert. Ajoutez une pincée de sel et mélangez.

POULET Vérifiez que le poulet est bien cuit puis ajoutez 2 cuillères à soupe de miel et remuez, en mettant à nouveau le poulet côté peau vers le bas.

GARNITURES Empilez les chips de crevette sur une planche avec de la sauce au chili. Coupez le citron vert en quartiers, posez-les à côté et pressez-en un dessus. Séparez les feuilles de salade, lavez et séchez-les. Mettez-les dans un bol et ajoutez les pousses de soja et la coriandre. Portez à table.

SAUCE Goûtez, rectifiez l'assaisonnement avec le jus de citron vert et la sauce de soja et, si vous voulez une sauce plus épaisse, poursuivez la cuisson 1 minute avant de porter à table.

POUR SERVIR Répartissez les nouilles dans 4 bols. Mettez le poulet sur un plat et laissez les convives empiler les différents ingrédients. Terminez avec une pincée de graines de sésame grillées.

TOURTE AU POULET

PETITS POIS À LA FRANCAISE

ÉCRASÉE DE CAROTTES

BAIES, SHORTBREAD

& CHANTILLY

POUR 6 PERSONNES

TOURTE AU POULET

4 blancs de poulet sans la peau
de 180 g
une noix de beurre
une botte d'oignons nouveaux
150 g de petits champignons de Paris
1 cuillère à soupe bombée de farine,
plus un peu pour fariner
2 cuillères à café de moutarde
anglaise
1 cuillère à soupe bombée
de crème fraîche
30 cl de bouillon de volaille bio
quelques brins de thym frais
⅓ de noix muscade, pour râper
1 rectangle de pâte feuilletée
prête à étaler
1 œuf

ÉCRASÉE

600 g de carottes
quelques brins de thym frais

PETITS POIS

2 cœurs de sucrine
une noix de beurre
1 cuillère à soupe de farine
30 cl de bouillon de volaille bio
quelques brins de menthe fraîche
480 g de petits pois surgelés
½ citron

ASSAISONNEMENT

huile d'olive
huile d'olive extra-vierge
sel de mer & poivre noir

BAIES & CHANTILLY

400 g de baies mélangées
telles que des myrtilles,
des framboises ou des fraises
sirop de fleur de sureau
½ citron
2 brins de menthe fraîche
quelques biscuits shortbread
pour servir
15 cl de crème liquide
1 cuillère à soupe bombée
de sucre glace
1 cuillère à soupe de pâte
ou d'extrait de vanille

POUR COMMENCER Préparez tous vos ingrédients et vos ustensiles. Faites chauffer le four à 200 °C (th. 6). Remplissez la bouilloire et faites-la bouillir. Faites chauffer une grande poêle profonde à feu moyen et une grande casserole avec un couvercle à feu doux. Installez le disque à émincer épais dans le robot.

TOURTE AU POULET Mettez les blancs de poulet sur une planche en plastique et coupez-les en lanières de 1 cm. Mettez une lampée d'huile d'olive et une noix de beurre dans la sauteuse. Ajoutez le poulet et faites-le cuire environ 3 minutes. Pendant ce temps, pelez rapidement les oignons nouveaux et lavez les champignons, puis émincez-les dans le robot. Ajoutez-les dans la poêle profonde avec 1 cuillère à soupe bombée de farine et mélangez. Ajoutez 2 cuillères à café de moutarde, 1 cuillère à soupe bombée de crème fraîche et 30 cl de bouillon de volaille et mélangez bien. Effeuillez le thym et mélangez-le dans la sauteuse avec quelques râpées de noix muscade et une bonne pincée de sel & poivre. Laissez mijoter.

ÉCRASÉE Pelez les carottes et émincez-les rapidement dans le robot. Ajoutez-les dans la casserole avec une lampée d'huile d'olive, une bonne pincée de sel & poivre et quelques feuilles de thym. Couvrez à hauteur d'eau bouillie, puis mettez le couvercle et passez sur feu vif. Faites cuire 15 minutes ou jusqu'à ce que les carottes soient tendres.

TOURTE AU POULET Farinez légèrement un plan de travail propre et déroulez la pâte feuilletée. Avec un petit couteau, entaillez légèrement la surface en losanges. Retirez la poêle avec le poulet du feu. Versez-le dans un plat à gratin, légèrement plus petit que la pâte feuilletée (environ 30 x 25 cm). Couvrez cette garniture avec la feuille de pâte, en appuyant sur les bords (comme sur la photo). Battez rapidement l'œuf et badigeonnez-en le haut de la tourte. Enfournez-la en haut du four et faites-la cuire environ 15 minutes ou jusqu'à ce qu'elle soit belle et dorée. Remplissez la bouilloire et faites-la bouillir.

PETITS POIS Remettez la sauteuse du poulet à chauffer à feu vif. Lavez rapidement les cœurs de sucrine et émincez-les au robot. Ajoutez une noix de beurre, 1 cuillère à soupe de farine dans la sauteuse, puis versez-y 30 cl de bouillon de volaille, déchirez-y les feuilles de menthe et fouettez pour obtenir une sauce lisse et bouillonnante. Ajoutez les petits pois et la salade émincée. Pressez dessus le jus de ½ citron, versez-y un filet d'eau bouillie, salez, poivrez et couvrez.

BAIES & CHANTILLY Coupez en tranches fines les plus grandes fraises (si vous en avez), puis placez tous les fruits dans un grand plat de service. Ajoutez un petit filet de sirop de fleur de sureau et pressez dessus le jus de ½ citron. Mélangez pour enrober tous les fruits, puis effeuillez la menthe et déchirez les feuilles dessus. Portez à table avec les biscuits. À l'aide d'un fouet électrique, fouettez la crème liquide avec le sucre glace et la pâte ou l'extrait de vanille jusqu'à ce qu'elle épaississe. Posez-la à côté des baies sur la table.

ÉCRASÉE Vérifiez que les carottes sont bien cuites, puis égouttez-les et remettez-les dans la casserole. Goûtez et rectifiez l'assaisonnement. Laissez-les telles quelles ou écrasez-les. Portez à table.

POUR SERVIR Portez les petits pois à table, sortez la tourte du four et régalez-vous !

POULET À LA MOUTARDE

POUR 4 À 6 PERSONNES

GRATIN DAUPHINOIS EXPRESS
LÉGUMES VERTS
AFFOGATO FORÊT NOIRE

GRATIN

1 oignon rouge
1 kg de pommes de terre
    à chair ferme
1 noix muscade
2 gousses d'ail
30 cl de crème fraîche
4 anchois à l'huile
parmesan
2 feuilles de laurier
une toute petite botte de thym frais

ASSAISONNEMENT

huile d'olive
huile d'olive extra-vierge
sel de mer & poivre noir

POULET

quelques tiges de romarin frais
4 filets de poulet de 180 g,
    avec la peau
4 cuillères à café de moutarde
    Coleman en poudre
3 mini poireaux ou un seul gros
4 gousses d'ail
vin blanc
7,5 cl de crème fraîche (prise sur
    la quantité destinée au gratin)
1 cuillère à café bombée de moutarde
    à l'ancienne

LÉGUMES

200 g de bettes ou autres légumes verts
200 g de pousses d'épinards
    prêtes à l'emploi
1 citron

AFFOGATO

1 cuillère à soupe de café instantané
    (ou un peu de café expresso)
3 cuillères à café de sucre en poudre
4 à 6 biscuits shortbread
1 boîte de 425 g de cerises noires au
    sirop dénoyautées
100 g de chocolat noir de bonne
    qualité (avec une teneur de 70 %
    en cacao)
500 g de glace à la vanille de bonne
    qualité

POUR COMMENCER Préparez tous vos ingrédients et ustensiles. Faites chauffer une casserole moyenne et une grande poêle allant au four à feu doux. Installez le disque à émincer épais dans le robot. Allumez le four à 220 °C (th. 7), remplissez et faites chauffer votre bouilloire.

GRATIN Pelez et coupez l'oignon en deux. Lavez les pommes de terre, ne les pelez pas, puis émincez-les au robot, en même temps que l'oignon. Placez les légumes dans un plat à rôtir d'environ 35 X 25 cm, assaisonnez. Râpez par-dessus ¼ de la noix muscade, ajoutez 2 gousses d'ail écrasées non pelées, puis versez par-dessus 22,5 cl de crème fraîche. Incorporez les anchois et saupoudrez le tout d'une belle poignée de parmesan râpé. Ajoutez les feuilles de laurier, quelques-unes de thym et quelques gouttes d'huile d'olive. Mélangez le tout avec vos mains propres, faites chauffer le plat à feu moyen. Versez 20 cl d'eau bouillante, recouvrez hermétiquement de papier d'aluminium et laissez sur le feu.

POULET Réglez le feu sous la grande poêle sur « moyen ». Effeuillez le romarin, hachez les feuilles et parsemez-les sur le poulet. Assaisonnez chaque filet de 1 cuillère à café de moutarde en poudre, salez, poivrez, enduisez-le d'huile d'olive et versez-en un peu dans la poêle. Appuyez un peu sur les filets pour que les saveurs pénètrent bien. Couchez les filets dans la poêle chaude, côté peau vers le bas. Lavez-vous les mains. Appuyez bien sur les filets avec une spatule pour faciliter la cuisson. Comptez 18 minutes en tout.

GRATIN Mélangez les pommes de terre pour que rien ne colle au fond du plat.

LÉGUMES Coupez finement les tiges des bettes pour qu'elles cuisent vite. Lavez les feuilles. Placez les tiges dans une casserole, couvrez d'eau bouillante, salez, couvrez.

GRATIN Retirez le papier d'aluminium. Râpez une couche de parmesan sur les pommes de terre, saupoudrez le reste des feuilles de thym, ajoutez un peu d'huile, enfournez et comptez 15 minutes de cuisson pour qu'il soit doré et bouillonnant.

POULET Ôtez une partie du vert du ou des poireaux, coupez-le dans le sens de la longueur. Lavez-le à l'eau courante, coupez-le finement et placez-le dans un coin de la poêle.

LÉGUMES Ajoutez les feuilles de bettes, versez encore un peu d'eau bouillante si besoin.

POULET Écrasez les 4 gousses d'ail non pelées et ajoutez-les au poulet. Retournez les filets et pressez-les encore une fois contre la poêle, mélangez-y le poireau, ajoutez un bon trait de vin blanc.

LÉGUMES Placez les épinards dans une passoire et versez par-dessus les légumes et leur eau de cuisson bouillante. Replacez tous ces légumes égouttés dans la casserole, avec un trait d'huile d'olive et le jus de 1 citron. Mélangez bien, assaisonnez à votre goût, apportez à table.

POULET Vérifiez la cuisson du poulet, puis versez les 7,5 cl de crème fraîche restante. Recouvrez de papier d'aluminium. Jetez un coup d'œil sur le gratin.

AFFOGATO Dans un petit pichet, mélangez la cuillère à café de café instantané et le sucre, mettez de côté. Remplissez la bouilloire à moitié et portez à ébullition. Écrasez les biscuits, répartissez-les dans 4 tasses à café. Égouttez les cerises, répartissez-les dans les tasses. Concassez le chocolat, répartissez sur les cerises. Apportez à table.

POULET Sortez la poêle du feu. Placez les filets sur une planche et découpez en tranches irrégulières. Ajoutez la moutarde à l'ancienne à la sauce, goûtez et assaisonnez à votre goût. Versez la sauce sur un plat, et déposez les tranches de poulet par-dessus. Agrémentez de quelques gouttes d'huile d'olive extra-vierge et servez aussitôt.

GRATIN Portez le plat à table, sortez la glace du congélateur pour qu'elle commence à ramollir.

POUR SERVIR Au moment du dessert, versez l'eau bouillante dans le pichet sur le café et le sucre. Portez à table. Placez une cuillère de glace dans les tasses. Saupoudrez de chocolat haché et versez le café chaud par-dessus (vous pouvez aussi faire des expressos) pour que le chocolat et la glace fondent : un régal !

POULET AU FOUR

POMMES DE TERRE ÉCRASÉES

ÉPINARDS À LA CRÈME

JUS GLACÉ À LA FRAISE

POUR 4 PERSONNES

POMMES DE TERRE

700 g de roseval ou de pommes
   de terre nouvelles
quelques brins de romarin frais
quelques feuilles de laurier fraîches
6 gousses d'ail

ÉPINARDS

une botte d'oignons nouveaux
3 gousses d'ail
quelques brins de thym frais
1 noix muscade, à râper
une belle noix de beurre
400 g de pousses d'épinards
   prêtes à l'emploi

10 cl de crème liquide
25 g de parmesan

POULET

origan
paprika doux
une noix de beurre
4 filets de poulet de 180 g,
   sans la peau
1 citron
300 g de tomates cerise
   en branches
4 tranches de poitrine fumée
   ou de bacon
quelques brins de romarin frais

ASSAISONNEMENT

huile d'olive
huile d'olive extra-vierge
sel de mer & poivre noir

BOISSON

400 g de fraises, fraîches
   ou surgelées
quelques brins de menthe
   fraîche
½ citron
quelques glaçons
sucre en poudre

POUR COMMENCER Préparez tous vos ingrédients et ustensiles. Remplissez et faites chauffer la bouilloire. Faites chauffer une casserole moyenne à feu moyen, une grande poêle à feu doux et une poêle profonde à feu moyen. Faites chauffer le gril du four à pleine puissance.

POMMES DE TERRE Lavez les pommes de terre, coupez-les dans la longueur (ou laissez-les entières si vous utilisez des pommes de terre nouvelles). Placez dans la casserole avec une pincée de sel. Couvrez d'eau juste bouillie, mettez un couvercle, puis laissez bouillir 12 à 14 minutes ou jusqu'à ce que ce soit cuit.

ÉPINARDS Pelez et coupez les oignons en tranches fines. Placez-les dans la poêle profonde avec un peu d'huile d'olive. Ajoutez 3 gousses d'ail écrasées non pelées et un filet d'eau bouillie. Effeuillez les brins de thym, râpez ¼ de la noix muscade, ajoutez la noix de beurre. Laissez cuire 3 minutes, en remuant de temps en temps.

POULET Faites chauffer la poêle restée vide à feu très vif. Sur une grande feuille de papier sulfurisé, saupoudrez une belle pincée d'origan, du sel & poivre, du paprika et versez quelques gouttes d'huile. Versez un peu d'huile dans la poêle brûlante, ajoutez le beurre. Couchez les filets de poulet sur la feuille, enrobez-les d'épices et aromates. Placez-les dans la poêle et faites revenir 4 ou 5 minutes, en les retournant pour les dorer de tous côtés. Jetez le papier sulfurisé et lavez-vous les mains.

ÉPINARDS Ajoutez les épinards dans la poêle avec l'ail et les oignons (peut-être devrez-vous réaliser cette cuisson en deux fois). Pensez mélanger pour que le fond n'attache pas.

POULET Prenez un plat à rôtir. Déposez-y le citron coupé en quartiers et les tomates en branches. Ajoutez les filets de poulet sautés et leur jus de cuisson. Arrangez le tout harmonieusement dans le plat avec des pinces. Déposez la poitrine fumée par-dessus. Faites chauffer la grande poêle à feu vif, placez-y les brins de romarin et faites-les revenir un peu en mélangeant pour qu'ils absorbent les jus. Reversez-les ensuite sur le poulet. Enfournez le plat 14 minutes.

POMMES DE TERRE Vérifiez la cuisson des pommes de terre, puis égouttez-les pendant une ou deux minutes. Versez dans la poêle vide un bon trait d'huile d'olive, ajoutez les feuilles des brins de romarin et le laurier. Faites chauffer, ajoutez les pommes de terre en une couche assez plate, salez, ajoutez encore un peu d'huile d'olive. Écrasez 6 gousses d'ail non pelées et réglez sur feu vif. Avec un couvercle pas trop grand, appuyez et écrasez légèrement les pommes de terre pendant la cuisson. Laissez colorer, et au bout de 3 minutes, mélangez puis pressez à nouveau.

ÉPINARDS Mélangez de temps en temps. Versez la crème. Réglez sur feu doux. Râpez du parmesan sur les épinards, mélangez bien.

POMMES DE TERRE Continuez à remuer et à presser les pommes de terre pour bien les faire dorer.

BOISSON Épluchez les fraises puis placez-les dans le blender avec une poignée de glaçons, quelques feuilles de menthe, le jus de ½ citron. Versez assez d'eau pour couvrir le tout et mixez. Pendant ce temps, remplissez presque entièrement une carafe de glaçons. Goûtez le jus de fraises, ajoutez un peu de sucre si besoin. Versez le jus dans la carafe, sur les glaçons, mélangez avec une cuillère, portez à table.

POMMES DE TERRE Goûtez les pommes de terre, pressez-les encore un peu.

POUR SERVIR Sortez le plat du four. Vérifiez la cuisson des filets. Portez-le directement sur la table, avec la poêle d'épinards. Disposez les pommes de terre sur un plat et dégustez !

POULET
SAUCE D'ENFER

RIZ & HARICOTS

SALADE HACHÉE
RAFRAÎCHISSANTE

MAÏS GRILLÉ

POUR 4 PERSONNES

POULET

4 filets de poulet de 180 g chacun, avec la peau
1 cuillère à soupe de miel liquide
quelques brins de romarin frais
quelques brins de coriandre fraîche

MAÏS

4 beaux épis de maïs, épluchés

RIZ & HARICOTS

2 petits oignons nouveaux
1 bâton de cannelle
250 g de riz long
60 cl de bouillon de volaille bio
400 g de haricots noirs

SAUCE D'ENFER

4 petits oignons nouveaux
1 petite botte de thym frais
3 feuilles de laurier
des clous de girofle moulu
muscade moulue
quatre-épices
6 cuillères à soupe de rhum ambré
6 cuillères à soupe de vinaigre de vin blanc
1 cuillère à soupe de miel liquide
1 piment lanterne
4 gousses d'ail

ASSAISONNEMENT

huile d'olive
huile d'olive extra-vierge
sel de mer & poivre noir

SALADE

1 poivron rouge
1 trévise
2 têtes de salade romaine
2 citrons verts
¼ d'oignon rouge
une petite botte de coriandre fraîche
une barquette de pousses de cresson

YAOURT

250 g de yaourt
quelques brins de coriandre fraîche
1 citron vert

POUR SERVIR

bière fraîche

POUR COMMENCER Préparez tous vos ingrédients et vos ustensiles. Remplissez et faites chauffer la bouilloire. Mettez à chauffer un gril et une grande casserole à feu vif. Faites chauffer le four à 220 °C (th.7).

POULET Placez les filets de poulet sur une planche à découper en plastique. Coupez-les en moitiés, sans les séparer complètement. Arrosez-les de tous côtés d'huile d'olive, de sel & poivre. Couchez les filets de poulet sur le gril brûlant, côté peau vers le bas, et laissez cuire. Lavez la planche, les couteaux et vos mains.

MAÏS Plongez les épis de maïs dans la casserole remplie d'eau bouillante avec une bonne pincée de sel. Couvrez.

SAUCE Pelez et hachez grossièrement les oignons, placez-les dans le robot avec les feuilles de presque toute la botte de thym, 3 feuilles de laurier (sans les tiges), une belle pincée de clous de girofle, de muscade, de quatre-épices, 6 cuillères à soupe de rhum et de vinaigre, 1 cuillère à soupe de miel, 2 cuillères à café de sel. Éliminez la tige et les graines du piment, mettez dans le robot, avec 4 gousses d'ail non pelées écrasées. Mixez pour obtenir une pâte assez fine. Si elle est un peu épaisse, rajoutez, si besoin, un peu d'huile d'olive extra-vierge.

POULET Retournez le poulet. Versez la sauce dans un plat pas trop grand, déposez les filets par-dessus, côté peau vers le haut. Arrosez de 1 cuillère à soupe de miel, saupoudrez de brins de romarin et du reste de thym. Enfournez (dans le haut du four) et laissez cuire 15 minutes, ou jusqu'à ce que ce soit cuit. Essuyez le gril pour en ôter l'huile de cuisson du poulet et faites-le chauffer à feu vif.

RIZ & HARICOTS Faites chauffer à feu vif une grande casserole munie d'un couvercle. Pelez et coupez finement les oignons nouveaux, mettez-les dans la casserole avec la cannelle, un bon trait d'huile d'olive, une belle pincée de sel & poivre. Mélangez, laissez-cuire une ou deux minutes, puis ajoutez le riz et le bouillon de volaille. Égouttez et rincez les haricots, ajoutez-les, mélangez gentiment. Portez à ébullition, faites cuire 12 minutes à feu moyen et à couvert.

YAOURT Versez le yaourt dans un bol. Hachez finement la coriandre, ajoutez-la au yaourt avec une pincée de sel et un trait d'huile d'olive extra-vierge. Râpez finement le zeste de ½ citron vert, ajoutez-les ainsi que le jus. Mélangez, portez à table avec l'autre moitié de citron vert pour presser.

LE MAÏS Sortez les maïs de l'eau et placez-les sur le gril avec un peu d'huile d'olive. Laissez cuire et dorer en les tournant souvent. Quand ils sont cuits, placez-les sur une assiette et portez-les à table.

SALADE Prenez une belle planche à découper à laisser sur la table. Épépinez et hachez grossièrement le poivron rouge. Placez par-dessus la trévise, les romaines et continuez de hacher pour obtenir une mixture relativement fine, sans plus. Faites un trou au centre des légumes hachés. Versez dedans un trait d'huile d'olive extra-vierge et le jus de 2 citrons verts. Râpez par-dessus le ¼ d'un oignon rouge, assaisonnez à votre goût, puis mélangez le tout. Finissez avec la coriandre, les pousses de cresson et portez à table.

RIZ & HARICOTS Après douze minutes de cuisson, ôtez le couvercle et mélangez. Tout le liquide a dû être absorbé. Goûtez et assaisonnez encore si besoin, portez à table.

POUR SERVIR Sortez le poulet du four, saupoudrez un peu de coriandre et portez directement à table. Servez les filets en les nappant de sauce. Dégustez avec des bières bien fraîches.

BROCHETTES DE POULET
SAUCE SATAY INCROYABLE
SALADE DE NOUILLES
FRUITS & MENTHE AU SUCRE

POUR 4 PERSONNES

SAUCE SATAY
½ petite botte de coriandre fraîche
1 piment rouge frais
½ gousse d'ail
3 cuillères à soupe bombées
  de bon beurre de cacahuètes
sauce de soja
un morceau de 2 cm
  de gingembre frais
2 citrons verts

POULET
4 filets de poulets de 180 g chacun,
  sans la peau
miel liquide, pour arroser

NOUILLES
250 g de nouilles aux œufs moyennes
  (1 nid par personne)

100 g de noix de cajou non salées
½ oignon rouge moyen
1 piment rouge frais
une petite botte
  de coriandre fraîche
1 à 2 cuillères à soupe de sauce
  de soja
1 citron vert
1 cuillère à café d'huile
  de sésame
1 cuillère à café
  de sauce nuoc-mâm
1 cuillère à café de miel liquide

GARNITURES
2 laitues ou sucrines
½ petite botte de coriandre
facultatif : 1 piment rouge frais

sauce de soja
1 citron vert

ASSAISONNEMENT
huile d'olive
huile d'olive extra-vierge
sel de mer & poivre noir

FRUITS & MENTHE AU SUCRE
1 gros ananas
150 g de myrtilles ou d'autres petits
  fruits ou baies de votre choix
une petite botte de menthe fraîche
3 cuillères à soupe de sucre roux
1 citron vert
250 g de yaourt à la grecque, au coco
  et bio, si possible

POUR COMMENCER Préparez tous vos ingrédients et ustensiles. Faites chauffer le gril du four à pleine puissance. Plongez 4 brochettes en bois dans un saladier d'eau froide, si elles flottent, faites-les couler avec une assiette. Installez la lame standard dans le robot.

SAUCE SATAY Dans le robot, assemblez la coriandre (tiges et feuilles), le piment sans sa tige, l'ail pelé, 3 cuillères à soupe de beurre de cacahuètes et un trait de sauce de soja. Pelez, hachez grossièrement le gingembre, râpez finement les zestes des 2 citrons verts, ajoutez dans le robot avec le jus de 1 citron vert et un peu d'eau. Mixez pour obtenir une pâte tartinable. Assaisonnez à votre goût. Placez la moitié de cette sauce dans un bol, versez un peu d'huile d'olive extra-vierge par-dessus, et mettez de côté.

POULET Placez les filets de poulets côte à côte sur la planche à découper en plastique, en les disposant tête-bêche. Doucement et prudemment, enfoncez les brochettes dans les filets. Coupez ensuite les filets pour obtenir 4 brochettes – regardez la photo sur la page opposée (🖐). Pour que vos brochettes soient encore plus croustillantes, vous pouvez inciser légèrement les filets. Répartissez la sauce au satay restante dans un plat allant au four, déposez les brochettes dessus, remuez avec vos mains pour bien les enrober. Nettoyez la planche, vos mains et le couteau. Salez les brochettes, arrosez d'un peu d'huile d'olive. Enfournez-les en haut du four, comptez 8 à 10 minutes de cuisson de chaque côté, ou jusqu'à ce que ce soit cuit.

GARNITURES Coupez le pied des sucrines, éliminez les feuilles périphériques ramollies. Détachez les autres feuilles une à une. Rincez-les dans une passoire, essorez-les, portez-les directement à table. Remplissez et faites chauffer la bouilloire.

NOUILLES Placez les nids de nouilles dans un grand saladier, couvrez-les d'eau bouillante et laissez tremper 6 minutes. Faites chauffer une poêle moyenne à feu doux. Écrasez un peu les noix de cajou (avec un rouleau à pâtisserie ou dans un torchon propre sur votre plan de travail). Placez-les dans la poêle, mélangez et laissez colorer un moment, pendant que vous faites autre chose.

Pelez le ½ oignon et mettez-le dans le robot avec le piment (sans sa tige) et les tiges de la coriandre. Mixez assez finement, versez dans un saladier, ajoutez la sauce de soja et un peu d'huile d'olive. Pressez et ajoutez le jus de 1 citron vert, incorporez la sauce nuoc-mâm, et l'huile de sésame. Mélangez bien, assaisonnez comme il faut. Égouttez les nouilles dans une passoire, rafraîchissez-les à l'eau courante, égouttez encore et ajoutez-les à la sauce.

Mélangez les noix de cajou, passez à feu vif. Ajoutez le miel en mélangeant bien. Quand la préparation commence à bien caraméliser, ajoutez aux pâtes avec les feuilles de coriandre. Mélangez bien et portez les nouilles à table avec la sauce satay.

POULET Retournez les brochettes, arrosez-les avec un peu de miel liquide et enfournez pour 8 à 10 minutes.

FRUITS & MENTHE AU SUCRE Pelez et coupez l'ananas en tranches fines, disposez-les dans un plat avec les baies. Effeuillez la menthe, pilez les feuilles dans un mortier pour obtenir une pâte. Ajoutez-y le sucre et pilez à nouveau. Étalez ensuite 1 cuillère à soupe de cette pâte sur l'ananas, placez la pâte restante au réfrigérateur, pour un autre usage. Pressez ½ citron vert sur les fruits, portez à table avec le yaourt à la grecque et une cuillère.

GARNITURES Hachez grossièrement la coriandre et coupez finement le piment, si vous l'utilisez. Présentez-les dans des petits bols, apportez-les à table avec la salade.

POUR SERVIR Apportez le poulet à table avec une bouteille de sauce de soja et quelques quartiers de citrons verts à presser au dernier moment. Laissez les convives se servir de la salade, de nouilles et de poulet et agrémenter leur assiette de coriandre et de jus de citron vert.

POULET FARCI À LA CHYPRIOTE

ASPERGES SAUTÉES &

TOMATES EN GRAPPE

SALADE DE CHOU

BOISSON SAINT-CLÉMENT

GLACE VANILLE/CAFÉ

POUR 4 PERSONNES

POULET
une petite botte de persil plat frais
une petite botte de basilic frais
6 tomates séchées
    et conservées à l'huile
2-3 gousses d'ail
100 g de feta
le zeste de 1 citron
4 filets de poulet de 180 g chacun, si
    possible avec la peau et les os
4 brins de romarin frais

LÉGUMES
5-6 gousses d'ail
200 g de tomates cerise en grappe
une petite botte d'herbes fraîches
    avec thym, romarin et laurier

250 g d'asperges
8 à 10 olives noires, dénoyautées

PAINS PLATS
1 cuillère à café d'origan
2 gousses d'ail
6 pains plats

SALADE DE CHOU
½ petit chou blanc
1 oignon
quelques brins de persil plat
quelques brins de basilic frais
½ piment rouge
2 citrons

ASSAISONNEMENT
huile d'olive
huile d'olive extra-vierge

sel de mer & poivre noir

BOISSON
glaçons
5-6 brins de menthe fraîche
1 citron
2 oranges
1 bouteille d'eau gazeuse

GLACE VANILLE/CAFÉ
50 cl de bonne glace à la vanille
quelques cuillères à café de café
    instantané (ou plusieurs expressos,
    à votre choix)
2 morceaux de sucre
une poignée de biscuits Cantucci
    (ou de croquets aux amandes)

POUR COMMENCER Préparez tous vos ingrédients et vos ustensiles. Préchauffez le four à 220 °C (th. 7). Faites chauffer aussi 2 grandes poêles à feu moyen. Installez le disque à émincer dans le robot.

POULET Sur une planche à découper, assemblez le persil, le basilic, les tomates séchées (et un peu de leur huile) et une pincée de poivre. Écrasez par-dessus 2 ou 3 gousses d'ail non pelées. Hachez finement le tout en mélangeant bien au fur et à mesure. Parsemez de feta, de zeste de citron et mélangez.

LÉGUMES Versez un peu d'huile dans une des poêles, écrasez-y les gousses d'ail non pelées. Ajoutez les tomates en grappe et les herbes, passez à feu doux.

POULET Placez devant vous un morceau de papier sulfurisé. Posez les filets de poulet par-dessus, peau vers le haut. Avec un couteau, incisez chaque filet dans l'épaisseur, comme un livre, pour former une poche. Fourrez les filets avec la farce aux tomates préparée plus haut. Reformez les filets avec les mains (🖐). Lavez-vous les mains.

Versez deux bons traits d'huile d'olive dans la poêle restée vide. Avec des pinces, couchez les filets de poulet dans l'huile chaude, côté peau vers le bas. Posez une feuille de papier sulfurisé sur les filets et pressez-les en cours de cuisson. Pensez à remuer la poêle de temps en temps.

PAINS PLATS Salez et poivrez la planche ayant servi à découper les tomates. Ajoutez 1 cuillère à café d'origan et un bon trait d'huile d'olive. Écrasez par-dessus 2 gousses d'ail non pelées. Roulez et enrobez les pains dans ces saveurs. Enrobez et roulez les pains dans du papier sulfurisé et mettez-les au four. Remplissez et faites chauffer la bouilloire.

LÉGUMES Retournez la planche à découper. Préparez et pelez les asperges dessus. Séparez les pointes, mettez-les dans la poêle avec les olives.

SALADE DE CHOU Éliminez les feuilles périphériques du chou, coupez-le en quartiers, puis émincez-le au robot. Placez-le dans un saladier. Pelez et coupez l'oignon en deux. Passez-le dans le robot avec le persil, le basilic, le piment (sans sa tige). Mélangez au chou.

Pressez le jus des 2 citrons dans un bol, ajoutez un bon trait d'huile d'olive extra-vierge et une pincée de sel. Mélangez, ajoutez au chou, mélangez bien. Portez à table.

POULET À ce stade, les filets de poulet doivent être bien dorés. Retournez-les et ajoutez 4 petits brins de romarin dans la poêle. Recouvrez à nouveau de papier sulfurisé. Posez une poêle moyenne bien chaude sur les filets et pressez un peu pour rendre la peau encore plus croustillante.

BOISSON Remplissez à moitié un grand pichet avec des glaçons. Écrasez la menthe et mettez-la dans le pichet avec le jus du citron et des oranges. Ajoutez deux moitiés d'oranges, versez l'eau gazeuse et mélangez. Portez la boisson directement table.

GLACE VANILLE/CAFÉ Sortez la glace du congélateur. Préparez un café avec 20 cl d'eau bouillante. Ajoutez les morceaux de sucre. Présentez les biscuits Cantucci sur une petite assiette pour servir. Placez au bout de la table (ou à côté) avec la glace.

POULET Déposez les filets de poulet bien croustillants sur une planche à découper en bois et vérifiez s'ils sont cuits. Versez par-dessus le jus de cuisson de la poêle, portez à table pour que tout le monde puisse se servir.

POUR SERVIR Apportez les légumes et les pains plats directement à table.

GLACE VANILLE/CAFÉ Au dernier moment, déposez une cuillerée de glace dans des tasses. Recouvrez de café (ou d'expresso) bien chaud et d'un biscuit Cantucci. Mmm ! Un délice !

POULET PIRI PIRI

POMMES DE TERRE ASSAISONNÉES

SALADE DE ROQUETTE

TARTES PORTUGAISES EXPRESS

POUR 4 PERSONNES

(avec deux tartes en plus)

POULET

4 belles cuisses de poulet,
   avec la peau et les os
1 gros poivron rouge
1 poivron jaune
6 brins de thym frais

POMMES DE TERRE

1 pomme de terre moyenne
2 patates douces
½ citron
1 piment rouge
1 botte de coriandre
   fraîche
50 g de feta

SAUCE PIRI PIRI

1 oignon rouge
4 gousses d'ail
1-2 piments oiseaux
2 cuillères à soupe de paprika fumé
2 citrons
4 cuillères à soupe de vinaigre
   de vin blanc
2 cuillères à soupe de sauce
   Worcestershire
une belle botte de basilic frais

SALADE DE ROQUETTE

1 sachet de 100 g de roquette
   prête à l'emploi
½ citron

ASSAISONNEMENT

huile d'olive
huile d'olive extra-vierge
sel de mer & poivre noir

TARTES (pour 6 tartes)

farine, pour le plan de travail
375 g de pâte feuilletée prête à étaler
cannelle en poudre
125 g de crème fraîche
1 œuf
1 cuillère à café de pâte
   ou d'extrait de vanille
5 cuillères à soupe de sucre roux
1 orange

POUR COMMENCER Préparez vos ingrédients et ustensiles. Préchauffez le four à 200 °C (th. 6). Faites chauffer un grand gril à feu vif.

POULET Déposez les cuisses de poulet sur une planche à découper, peau vers le bas, puis incisez plusieurs fois les chairs. Arrosez d'huile d'olive, assaisonnez, posez sur le gril chaud, toujours la peau vers le bas. Laissez cuire et dorer, puis retournez. Lavez-vous les mains.

TARTES Farinez un plan de travail propre. Déroulez la pâte feuilletée, coupez-la pour vous retrouver avec deux carrés de pâte de 20 cm de côté. Gardez-en un dans le réfrigérateur pour une autre recette. Sur le carré de pâte restant, saupoudrez quelques pincées de cannelle. Roulez la pâte sur elle-même, puis découpez-la en 6 tranches. Déposez-les ensuite dans des moules à muffins et étirez-les avec vos doigts (voir la photo). Le fond des moules doit être bien plat et recouvert, la pâte doit aussi remonter sur les parois des moules. Faites cuire 8 à 10 minutes, en haut du four (utilisez le minuteur).

POMMES DE TERRE Lavez la pomme de terre et les patates douces, coupez-les dans la longueur. Placez-les dans un bol pouvant passer au four micro-ondes avec le ½ citron. Couvrez de film alimentaire, faites cuire 15 minutes à puissance maximale.

POULET Retournez les cuisses de poulet.

TARTES Placez la crème dans un bol. Ajoutez l'œuf, la vanille, 1 cuillère à soupe de sucre roux et le zeste râpé de 1 orange. Mélangez bien.

SAUCE PIRI PIRI Pelez et hachez grossièrement l'oignon rouge, mettez-le dans le robot avec les gousses d'ail pelées. Ajoutez les piments (sans leurs tiges), 2 cuillères à soupe de paprika, le jus de 1 citron et les zestes de 2 citrons. Ajoutez aussi 4 cuillères à soupe de vinaigre, 2 cuillères à soupe de sauce Worcestershire, une bonne pincée de sel & poivre, le basilic et un filet d'eau. Mixez finement le tout.

POULET Coupez les poivrons en lanières et faites-les griller. Passez à feu moyen, tournez les poivrons de temps en temps.

TARTES Sortez les moules à muffins du four, pressez bien la pâte avec une cuillère contre les parois des moules pour faire de la place au fourrage. Versez le mélange à base de crème dans les moules de pâte, enfournez à nouveau en haut du four. Faites cuire pendant 8 minutes.

POULET Versez la sauce piri piri dans un petit plat à rôtir, posez les lanières de poivrons grillés par-dessus. Ajoutez les cuisses de poulet, parsemez de thym, enfournez dans le milieu du four.

TARTES Faites chauffer une petite casserole à feu vif, versez dedans le jus de l'orange et 4 cuillères à soupe de sucre roux. Tournez, mélangez, surveillez bien, mais ne touchez pas : gare aux brûlures de caramel.

POMMES DE TERRE Hachez finement le piment rouge et presque toute la coriandre sur une planche, en mélangeant au fur et à mesure. Incorporez la feta, hachez, mélangez.

POULET Sortez les tartes du four, montez alors le poulet dans le haut du four et laissez cuire 10 minutes de plus.

TARTES Versez un peu de caramel sur chaque tarte, même si elles sont encore un peu molles. Mettez de côté et laissez prendre.

SALADE DE ROQUETTE Assaisonnez la roquette avec de l'huile d'olive extra-vierge, du sel, une bonne pincée de sel & poivre et le jus de ½ citron. Présentez la salade dans un bol, portez à table.

POMMES DE TERRE Vérifiez bien que les pommes de terre sont cuites à cœur. Arrosez avec le jus de citron pressé. Ajoutez le mélange à la coriandre, et mélangez bien le tout. Assaisonnez, portez à table.

POUR SERVIR Sortez le poulet du four, décorez avec quelques feuilles de coriandre, et portez à table sur-le-champ.

SALADE DE CANARD

POUR 4 PERSONNES

CROÛTONS GÉANTS
PUDDING AU RIZ AUX FRUITS ÉTUVÉS

CANARD

4 filets de canard de 200 g chacun,
   avec la peau
cinq-épices chinois
thym sec
1 piment rouge frais
une petite botte de menthe fraîche
½ citron
1 cuillère à café de miel liquide

CROÛTONS

1 pain ciabatta
une petite botte de romarin frais
5 gousses d'ail
1 cuillère à café de graines de fenouil

SALADE

1 grenade
100 g de cœur de laitue ou
   de roquette prête à l'emploi
2 carottes
une petite botte de radis
1 barquette de pousses de cresson
une petite botte de menthe fraîche
vinaigre balsamique
½ citron

ASSAISONNEMENT

huile d'olive
huile d'olive extra-vierge
sel de mer & poivre noir

PUDDING AU RIZ & FRUITS

1 poignée d'amandes effilées
5 cuillères à soupe bombées
   de sucre glace
2 oranges
12 prunes bien mûres, de différentes
   couleurs, si possible
facultatif : 1 cuillère à café de pâte
   ou d'extrait de vanille
600 g de riz au lait du commerce,
   de bonne qualité

POUR SERVIR

une bouteille de rosé frais

POUR COMMENCER Préparez tous vos ingrédients et ustensiles. Faites chauffer une grande poêle (30 cm) à feu moyen et une grande casserole à feu doux. Faites chauffer le four à 200 °C (th. 6).

CANARD Incisez la peau des filets de canard en formant un motif croisé, assaisonnez-les de sel et d'une bonne pincée de cinq-épices, de thym et huilez-les un peu. Déposez-les dans la poêle, côté gras vers le bas et laissez-les cuire 16 à 18 minutes, en les retournant de temps en temps ou jusqu'à obtenir la cuisson désirée. Avec un couvercle plus petit que la poêle, pressez-les pour favoriser la coloration, laissez cuire avec le couvercle.

PUDDING AU RIZ & FRUITS Rincez brièvement les amandes dans une passoire, puis saupoudrez-les de 2 cuillères à soupe bombées de sucre glace. Étalez-les ensuite sur la plaque du four, enfournez-les dans le haut du four et laissez cuire et caraméliser pendant 10 minutes.

CROÛTONS Coupez le pain en tranches de 2 cm. Déposez-les sur une plaque et arrosez-les d'huile d'olive. Parsemez les tranches de pain de romarin et écrasez rapidement dessus les 5 gousses d'ail non pelées. Salez, poivrez, saupoudrez de graines de fenouil, mélangez bien le tout, placez dans la partie centrale du four et laissez cuire environ 16 minutes.

CANARD Pensez à surveiller et à retourner les filets de canard assez régulièrement.

PUDDING AU RIZ & FRUITS Pelez le zeste de 1 orange, taillez-le en lanières et placez dans la casserole. Ajoutez-y le jus de 2 oranges et 3 cuillères à soupe bombées de sucre glace. Coupez un quart des prunes en deux, ôtez les noyaux, mettez-les dans la casserole avec la vanille, puis mélangez bien. Réglez sur feu vif et couvrez. Laissez cuire 15 minutes, ou le temps que les fruits ramollissent. Surveillez les amandes, remuez-les un peu avec une cuillère en bois. Laissez cuire encore un moment, sortez du four, mettez de côté.

SALADE Coupez la grenade en deux, posez la partie coupée au-dessus d'un saladier puis, avec une cuillère, faites-y tomber les graines rouges. Éliminez tous les petits morceaux de peau. Versez dessus la salade, coupez la base des carottes, pelez-les, coupez-les en fines tranches. Coupez en deux ou en tranches fines les radis, ajoutez-les dans le saladier avec le cresson et les feuilles de menthe finement hachées. Prenez un petit récipient pour la vinaigrette, mélangez-y un bon trait d'huile d'olive extra-vierge, un filet de vinaigre balsamique, une pincée de sel & poivre, et le jus de ½ citron. Portez le tout à table pour assaisonner et tournez la salade au dernier moment.

PUDDING AU RIZ & FRUITS Sortez les amandes du four, si ce n'est pas déjà fait. Mélangez les prunes, couvrez et laissez cuire à feu doux. Présentez le riz au lait dans un plat creux.

CROÛTONS À ce stade, les croûtons doivent être bien dorés, sortez-les du feu, laissez refroidir.

CANARD Quand les filets de canard sont cuits à votre goût (je les aime juste à point), prenez une belle planche en bois. Épépinez le piment et hachez-le finement avec la menthe. Mettez de côté un peu de ce mélange, agrémentez d'huile d'olive extra-vierge, de sel & poivre, du jus de ½ citron et de 1 cuillère à café de miel. Mélangez bien le tout, sur la planche. Avec les pinces, déposez les filets de canard cuits sur la planche, coupez-les en biais en tranches de 1 cm, mélangez bien. Déposez les croûtons autour de la salade ainsi préparée : ils vont absorber les succulents jus ! Ajoutez encore un peu d'huile d'olive extra-vierge, le reste de menthe et de piment haché, portez à table. Sortez les fruits du feu, et mettez-les de côté jusqu'au moment du dessert.

POUR SERVIR Mélangez rapidement la salade et la vinaigrette, puis laissez tout le monde se servir. Servez avec un verre de rosé bien frais. Au moment du dessert, goûtez les prunes cuites et ajoutez encore un peu de sucre glace si besoin. Versez les fruits sur le riz au lait, saupoudrez d'amandes effilées et portez à table.

CURRY DE CREVETTES À LA THAÏ

RIZ AU JASMIN

SALADE DE CONCOMBRE

ASSIETTE DE PAPAYE

POUR 4 PERSONNES

SALADE DE CONCOMBRE

un morceau de 2 cm
  de gingembre frais
1 cuillère à soupe de sauce de soja
1 cuillère à café d'huile de sésame
1 citron vert
1 concombre
une petite poignée
  de coriandre fraîche
½ piment rouge frais

RIZ AU JASMIN

1 mug de riz basmati
2 sachets de thé au jasmin
  ou 1 fleur de jasmin

CURRY ROUGE

2 tiges de citronnelle
1 piment rouge frais

2 gousses d'ail
facultatif : 4 feuilles de citron kaffir,
  fraîches, sèches ou surgelées
  (en épiceries asiatiques)
une botte de coriandre fraîche
2 poivrons rouges à l'huile
1 cuillère à café bombée de
  concentré de tomates
1 cuillère à soupe de nuoc-mâm
2 cuillères à soupe de sauce
  de soja
1 cuillère à café d'huile de sésame
un morceau de 2 cm
  de gingembre frais
8 grosses crevettes crues
  non décortiquées
200 g de pois gourmands
220 g de crevettes cuites

400 g de lait de coco en conserve
2 citrons verts, pour servir
1 sachet de chips aux crevettes,
  pour servir

ASSAISONNEMENT

huile d'olive
huile d'olive extra-vierge
sel de mer & poivre noir

ASSIETTE DE PAPAYE

2 papayes
yaourt à la grecque
1 citron vert
2 bananes
quelques brins de menthe fraîche
facultatif : quelques biscuits
  ou macarons, pour servir

POUR COMMENCER Préparez tous vos ingrédients et ustensiles. Faites chauffer le four à 200 °C (th. 6). Remplissez et faites chauffer la bouilloire. Installez la lame standard dans le robot.

SALADE DE CONCOMBRE Pelez et râpez le gingembre sur une assiette de service et ajoutez 1 cuillère à soupe de sauce de soja, 3 cuillères à soupe d'huile d'olive extra-vierge et 1 cuillère à café d'huile de sésame. Pressez dedans le jus de 1 citron vert, vérifiez l'assaisonnement. Avec un économe, détaillez le concombre en longues lanières fines dans l'assiette. Éliminez le cœur du concombre trop humide. Prenez une petite poignée de coriandre fraîche, hachez finement les tiges et mettez les feuilles de côté. Parsemez les tiges et ½ piment rouge finement haché sur le concombre. Apportez le tout à table, mais attendez que tout le monde soit prêt à manger avant de mélanger.

RIZ AU JASMIN Faites chauffer une casserole moyenne à feu moyen. Ajoutez-y un mug de riz, une pincée de sel, un trait d'huile d'olive, les 2 sachets de thé (ou la fleur) et recouvrez de 2 mugs d'eau bouillante (le même que celui utilisé pour le riz). Couvrez et laissez cuire 7 minutes, sortez du feu puis laissez reposer 7 minutes, avec le couvercle.

CURRY ROUGE Faites chauffer une grande poêle à feu moyen. Éliminez les extrémités et les bords trop durs des tiges de citronnelle, écrasez ce qui vous reste avec la lame d'un couteau puis mettez dans le robot avec 1 piment rouge (sans sa tige), 2 gousses d'ail pelées, 4 feuilles de citron kaffir, une botte de coriandre, 2 poivrons à l'huile, 1 cuillère à café bombée de concentré de tomates, 1 cuillère à soupe de sauce nuoc-mâm, 2 cuillères à soupe de sauce de soja, 1 cuillère à café d'huile de sésame. Pelez 2 cm de gingembre, ajoutez-le au reste. Mixez finement tous ces

aromates. Si besoin, utilisez une spatule pour faire tomber les aromates accrochés sur les parois du bol du robot et les réduire, eux aussi, en pâte.

Versez un peu d'huile d'olive dans la poêle bien chaude et faites cuire les grosses crevettes. Laissez-les cuire 1 minute, ajoutez 1 cuillère à soupe de curry rouge « maison » et faites cuire encore 1 minute. Placez-les ensuite dans un plat allant au four, enfournez-le dans le haut du four 8 à 10 minutes. Faites chauffer la poêle ayant servi à faire cuire les crevettes à feu moyen. Versez un peu d'huile d'olive, ajoutez les pois gourmands puis les petites crevettes cuites avec le reste de pâte de curry. Laissez cuire une ou deux minutes avant de verser le lait de coco. Remuez pendant qu'il se fond dans le mélange, puis laissez mijoter à feu moyen.

ASSIETTE DE PAPAYE Coupez les papayes en deux et éliminez les pépins. Remplissez un petit bol ou une tasse avec le yaourt grec et râpez par-dessus un peu de zeste de citron vert. Coupez les bananes en deux dans la longueur, sans les pelez, et placez-les sur un plat. Pressez par-dessus le jus du citron vert, parsemez de feuilles de menthe déchirées, apportez à table avec quelques biscuits ou des macarons, si vous aimez.

POUR SERVIR Goûtez le curry, ajoutez un peu de sauce de soja si besoin. Saupoudrez par-dessus les feuilles de coriandre mises de côté, puis apportez à table avec le plat de grosses crevettes cuites au four. Coupez les citrons verts restants en quartiers à presser au dernier moment sur les crevettes. Présentez les chips dans un bol et portez à table. Aérez un peu le riz cuit avec une fourchette, portez à table. Mélangez la salade de concombre sur son assiette. Servez le riz, nappez de sauce au curry et partagez les grosses crevettes entre les invités.

SARDINES GRILLÉES

HALLOUMI CROUSTILLANT

SALADE DE CRESSON

& FIGUES

MOUSSE AU CHOCOLAT

POUR 4 PERSONNES

(vous aurez assez de mousse pour 8 personnes)

SARDINES

8 grosses sardines (de 85 g chacune
   environ), écaillées et vidées
4 gousses d'ail
1 citron
1 piment rouge frais
une petite botte de persil plat frais
1 cuillère à café de graines de fenouil

SALADE

2 cuillères à soupe d'amandes
   effilées
1 sachet de 100 g de mâche
   et de roquette mélangées
   prêtes à l'emploi
50 g de germes d'alfalfa
5-6 brins de menthe fraîche
1 grenade
1 cuillère à soupe de vinaigre
   de vin blanc

HALLOUMI

250 g de halloumi (fromage grec)
2 cuillères à soupe de graines
   de sésame
3 gousses d'ail

FIGUES

4 figues
miel liquide
2 brins de menthe fraîche

ASSAISONNEMENT

huile d'olive
huile d'olive extra-vierge
sel de mer & poivre noir

MOUSSE (pour 8 personnes)

200 g de bon chocolat noir (avec une
   teneur en cacao de 70 %)
une petite noix de beurre

2 cuillères à soupe de sucre roux
30 cl de crème liquide
1 cuillère à café de pâte
   ou d'extrait de vanille
2 gros œufs
un trait de baileys, de cognac,
   de grand-marnier ou d'armagnac
de la poudre de cacao,
   pour saupoudrer
1 orange, ou bien 1 clémentine,
   ou alors une poignée de fraises

POUR SERVIR

6 pains pitas à la farine complète
1 citron
une bouteille de vin rosé frais

POUR COMMENCER Préparez tous vos ingrédients et vos ustensiles. Préchauffez le four à 220 °C (th. 7). Faites chauffer à feu moyen une casserole de taille moyenne à moitié remplie d'eau chaude.

MOUSSE Brisez le chocolat encore emballé contre le plan de travail. Préparez un grand saladier de service et deux autres bols pour mélanger. Placez les morceaux de chocolat dans un bol supportant la chaleur, ajoutez le beurre et placez le tout sur un bain-marie d'eau frémissante. Faites fondre en mélangeant de temps en temps. Mettez 2 cuillères à soupe de sucre dans le saladier, avec les 30 cl de crème épaisse et la vanille. Fouettez le tout en une chantilly onctueuse.

Séparez les blancs des jaunes d'œufs. Ajoutez les jaunes dans la crème fouettée et mélangez. Mettez les blancs dans le second bol avec une pincée de sel et battez pour obtenir une neige ferme. Le chocolat doit être bien fondu. Ajoutez-le au saladier de crème fouettée, mélangez avec un trait de votre alcool préféré. Incorporez délicatement les blancs battus avec une spatule, puis placez cette mousse au congélateur (ou au réfrigérateur, si vous ne la consommez pas aussitôt).

SALADE Faites chauffer une poêle de taille moyenne à feu moyen. Faites-y dorer 2 cuillères à soupe d'amandes effilées. Mélangez de temps en temps, placez les amandes dorées dans un bol et refaites chauffer la poêle à feu doux.

SARDINES Déposez les sardines dans un grand plat à rôtir. Écrasez par-dessus 4 gousses d'ail non pelées. Salez, poivrez. Parsemez du zeste de 1 citron, pressez le jus du citron sur les poissons et déposez les demi-citrons à côté. Arrosez d'un peu d'huile d'olive. Coupez finement 1 piment rouge frais et déposez-le sur les sardines. Hachez finement les tiges du persil et parsemez-les dessus avec les graines de fenouil. Hachez grossièrement les feuilles de persil, mettez-les de côté. Mélangez avec vos mains. Mettez le plat dans le haut du four et laissez cuire 10 minutes environ, pour que tout soit bien doré et croustillant. Lavez-vous les mains.

HALLOUMI Coupez le halloumi en 8 morceaux. Saupoudrez-les de sésame, et pressez-les pour le faire rentrer dans le fromage. Versez une lampée d'huile d'olive dans la poêle bien chaude. Écrasez quelques gousses d'ail non pelées et jetez-les dans l'huile. Réglez sur feu moyen. Quand l'ail grésille, mettez le fromage dans la poêle. Laissez colorer 2 minutes, retournez-le puis passez à feu doux. Ajoutez les graines de sésame qui seraient restées sur le plan de travail.

PITAS Aspergez les pitas d'eau froide des deux côtés, faites-les réchauffer sur une plaque en bas du four.

SALADE Déposez la mâche et la roquette et les graines germées dans un plat. Coupez finement les feuilles de 5 ou 6 brins de menthe, mélangez avec les amandes effilées. Coupez la grenade en deux. Tenez une des moitiés dans votre main, côté coupé vers le bas, et raclez l'intérieur pour que les graines tombent dans la salade. Versez 3 cuillères à soupe d'huile d'olive extra-vierge dans un bol, pressez-y le jus de la ½ grenade restante. Ajoutez 1 cuillère à soupe de vinaigre blanc, mélangez puis apportez à table, en même temps que la salade. Ne mélangez qu'au dernier moment.

FIGUES Faites une incision en forme de croix dans chaque figue, pincez leur base pour qu'elles s'ouvrent joliment. Déposez-les sur une petite planche avec un petit bol de miel liquide. Effeuillez sur la planche quelques brins de menthe, versez quelques gouttes d'huile d'olive extra-vierge et une pincée de sel. Coupez les citrons en quartiers, déposez un quartier à côté des figues et portez à table.

POUR SERVIR Apportez les sardines à table avec les pains pitas chauds et la poêle de halloumi bien doré. Parsemez le halloumi de persil haché et servez avec des quartiers de citron, à presser au dernier moment, sans oublier la bouteille de rosé. Sortez la mousse du congélateur, saupoudrez-la de cacao en poudre, et servez-la avec des quartiers d'orange, de clémentine ou les fraises coupées en morceaux.

CRUMBLE GOURMAND DE CABILLAUD

MON ÉCRASÉE DE PETITS POIS

SAUCE TARTARE

SALADE CHAUDE DU JARDIN

POUR 6 À 8 PERSONNES

ÉCRASÉE DE PETITS POIS

4 pommes de terre moyennes
  à cuire au four
1 tête de brocolis
500 g de petits pois surgelés
une belle noix de beurre
1-2 cuillères à dessert de sauce
  à la menthe

SAUCE TARTARE

3 cornichons
1 cuillère à café bombée
  de petites câpres
une petite botte de persil plat frais
½ boîte de 30 g de filets d'anchois
  à l'huile
1 citron
½ pot de 400 g de mayonnaise
paprika doux, pour saupoudrer

CABILLAUD

1 cuillère à café de graines
  de fenouil
2 filets de cabillaud de 600 g
  (ou 6 filets de 180 g), avec la peau,
  écaillé et sans arêtes
200 g de pain blanc en morceaux
  et sec
4 gousses d'ail
½ boîte de 30 g de filets d'anchois
  à l'huile
½ boîte de 280 g de tomates séchées
  et conservées à l'huile
une petite botte de basilic frais
½-1 piment rouge frais
40 g de parmesan
1 citron
vinaigre balsamique

quelques brins de romarin frais
quelques brins de thym frais

ASSAISONNEMENT

huile d'olive
huile d'olive extra-vierge
sel de mer & poivre noir

SALADE

6 tranches de pancetta
2 gousses d'ail
5 cuillères à soupe de vinaigre
  balsamique
1 sachet de 100 g de cresson
  prêt à l'emploi
1 sachet de 100 g de roquette
  prête à l'emploi

POUR SERVIR

une bouteille de vin blanc frais

POUR COMMENCER Préparez tous vos ingrédients et ustensiles. Remplissez et faites chauffer la bouilloire. Chauffez le four en position gril, à pleine puissance. Faites chauffer une grande casserole à feu moyen. Installez la lame standard dans le robot.

PETITS POIS Pelez rapidement les pommes de terre (ou laissez la peau si vous préférez), coupez-les en morceaux de 2 cm, placez-les dans la casserole, salez, recouvrez d'eau bouillie. Couvrez, chauffez à feu moyen. Éliminez la base du pied de brocoli, coupez le reste de la tige en tranches fines et ajoutez aux pommes de terre. Détaillez le reste du brocoli en fleurettes et mettez de côté.

CABILLAUD Versez quelques petites lampées d'huile d'olive dans un large plat à rôtir. Salez, poivrez, saupoudrez de 1 cuillère à café de graines de fenouil. Passez les filets de poisson dans ce mélange pour les assaisonner puis disposez-les dans le plat, côté peau vers le bas. Arrosez d'huile d'olive, enfournez 5 minutes sous le gril, au milieu du four, laissez cuire et préparez le crumble.

Hachez grossièrement le pain puis mettez-le dans le robot. Mixez et ajoutez 2 gousses d'ail pelées, versez un peu d'huile de la boîte d'anchois pendant le mixage, puis mettez de côté cette chapelure dans un bol.

Ensuite, mettez la moitié de la boîte d'anchois dans le bol vide du robot, avec les tomates séchées égouttées, 2 gousses d'ail pelées, le basilic, le piment (sans sa tige) et le morceau de parmesan. Râpez finement le zeste de citron, puis pressez le jus sur les autres ingrédients. Ajoutez un peu de vinaigre balsamique, puis mixez pour obtenir une pâte. Peut-être devrez-vous racler les bords du mixer pour tout réduire en pâte. Sortez le poisson du four, étalez la pâte aux anchois par-dessus en une couche épaisse et régulière, puis saupoudrez de chapelure. Arrosez le tout de quelques gouttes d'huile d'olive, parsemez de romarin, de thym et glissez enfin le plat au milieu du four. Laissez cuire 10 minutes, ou pour que tout colore et soit croustillant.

PETITS POIS Ajoutez les petits pois et les fleurettes de brocoli aux pommes de terre, couvrez.

SALADE Faites chauffer une poêle moyenne à feu moyen et ajoutez la pancetta. Laissez-la devenir croustillante en mélangeant de temps en temps.

SAUCE TARTARE Rincez le bol du robot et mettez dedans les 3 cornichons, 1 cuillère à café de câpres, une petite botte de persil, la moitié d'une boîte d'anchois et leur huile. Mixez plusieurs fois avec un filet d'huile d'olive extra-vierge, le zeste et le jus de ½ citron, jusqu'à obtenir une mixture assez souple. Versez dans un bol, ajoutez le ½ pot de mayonnaise. Mélangez bien, ajoutez le jus du reste du citron, goûtez et ajustez la saveur à votre goût. Saupoudrez de paprika doux, arrosez de quelques gouttes d'huile d'olive extra-vierge. Portez à table.

SALADE Quand les tranches de pancetta sont bien croustillantes et dorées, passez à feu doux et ajoutez 2 gousses d'ail écrasées et non pelées. Sortez la poêle du feu et ajoutez 5 cuillères à soupe de vinaigre balsamique, un trait d'huile d'olive, remuez bien. Avec une cuillère en bois, brisez les tranches de pancetta dans la poêle.

PETITS POIS Égouttez les légumes et laissez-les fumer quelques minutes dans la passoire. Remettez les légumes dans la casserole. Ajoutez le beurre, un bon trait d'huile d'olive extra-vierge, un peu de sel & poivre, 1 ou 2 cuillères à dessert de sauce à la menthe. Réduisez le tout en une purée grossière puis présentez dans des bols.

CABILLAUD Vérifiez la cuisson, et quand le crumble est bien doré et croustillant, portez directement à table avec les bols d'écrasée de petits pois.

SALADE Au dernier moment, mettez le cresson et la roquette dans la poêle avec la pancetta encore chaude, mélangez rapidement avec les mains. Portez à table et servez avec le vin blanc bien frais.

PALETS DE POISSON À LA SUÉDOISE

POMMES DE TERRE NOUVELLES RÔTIES

SALADE DE GRAINES GERMÉES

PETITE SALSA QUI DÉCOIFFE

POUR 4 PERSONNES

POMMES DE TERRE

500 g de pommes de terre nouvelles
½ citron
une petite botte d'herbes fraîches
    mélangées, comme le thym
    et le romarin

PALETS DE POISSON

2 tranches de pain rassis
2 filets de saumon de 150 g,
    sans peau ni arêtes
300 g de filets de haddock,
    sans peau ni arêtes
1 steak de thon de 200 g
1 citron

une petite botte de persil plat frais
1 gousse d'ail

SALSA

1 piment rouge frais
1 piment vert frais
4 oignons nouveaux
4 tomates bien mûres, jaunes
    ou rouges
vinaigre de vin rouge
½ concombre
1 poivron jaune
1 poivron rouge
2 citrons verts
une petite botte de basilic frais

SALADE

100 g de germes de radis ou d'alfalfa
1 paquet de pains fins croustillants
    ou de « carta di musica »
une petite botte de menthe fraîche
2 avocats mûrs
1 barquette de germes de cresson
1 citron

ASSAISONNEMENT

huile d'olive
huile d'olive extra-vierge
sel de mer & poivre noir

POUR SERVIR

une bouteille de vin blanc frais

POUR COMMENCER Préparez tous vos ingrédients et ustensiles. Remplissez et faites chauffer la bouilloire. Chauffez le four à 220 °C (th. 7). Installez la lame standard dans le robot.

POMMES DE TERRE Placez les pommes de terre et ½ citron dans un saladier pouvant aller au four micro-ondes. Couvrez d'une double épaisseur de film alimentaire. Faites cuire 7 à 10 minutes (ou jusqu'à une cuisson parfaite) dans le four micro-ondes à pleine puissance.

PALETS DE POISSON Réduisez le pain en chapelure avec le robot. Pendant ce temps, déchirez un grand morceau de papier d'aluminium. Déposez la chapelure dessus et mettez de côté. Mettez tout le poisson dans le bol du robot. Râpez-y finement le zeste de 1 citron. Ajoutez les feuilles du persil (sans les tiges), une belle pincée de sel & poivre puis mixez le tout deux ou trois fois pour obtenir un mélange assez grossier.

POMMES DE TERRE Prélevez les feuilles de vos herbes fraîches et hachez-les finement. Sortez les pommes de terre du four micro-ondes, piquez-les au couteau pour vérifier la cuisson, puis ôtez le film alimentaire. Ajoutez les herbes hachées, une belle pincée de sel & poivre et un bon trait d'huile d'olive. Mélangez bien. Mettez le tout dans un plat à rôtir, enfournez dans le haut du four et laissez jusqu'à ce que tout soit bien doré et coloré.

PALETS DE POISSON Placez le poisson mixé dans un plat, ajoutez 2 cuillères à soupe de chapelure. Mélangez avec vos mains propres et divisez cette farce en 4 palets. Si vous avez un emporte-pièce (de 10 cm de diamètre, environ) prenez-le comme moule. Sinon, utilisez vos mains pour former 4 boules et aplatissez-les. Placez ces palets sur la chapelure, assurez-vous que tous sont de même épaisseur et saupoudrez-les de chapelure (📷).

Faites chauffer une grande poêle à feu moyen avec deux bonnes lampées d'huile d'olive. Écrasez 1 gousse d'ail avec la paume de la main, mettez-la dans la poêle. Quand l'ail commence à grésiller, déposez délicatement les steaks de poisson dans la poêle. Faites cuire 7 minutes, pendant que vous préparez la salsa. Retournez les steaks quand ils sont bien dorés et faites-les cuire 7 minutes de plus.

SALSA Lavez rapidement le bol du robot. Épépinez les piments, ôtez les tiges, pelez les oignons nouveaux, mettez-les dans le bol du robot avec les tomates entières, une bonne pincée de sel & poivre. Ajoutez un trait de vinaigre de vin rouge, mixez bien le tout. Goûtez, ajustez l'assaisonnement si besoin et, quand vous êtes content de vous, mettez la salsa sur un plateau.

Coupez le concombre en deux dans la longueur, puis détaillez-le en petits morceaux. Coupez les poivrons en deux, épépinez et hachez-les finement. Ajoutez au reste de la salsa déjà sur le plat avec le jus de 2 citrons verts. Mettez de côté quelques petites feuilles de basilic pour la déco, puis hachez le reste et ajoutez à la salsa.

PALETS DE POISSON À ce stade les palets de poisson doivent être dorés à souhait. Retournez-les délicatement.

SALADE Dispersez l'alfalfa sur un autre plat et ajoutez par-dessus du pain croustillant émietté ou des «carta di musica», émiettées elles aussi. Coupez finement les feuilles de menthe, éliminez les tiges et parsemez-les sur le plat. Dénoyautez les avocats, puis déposez-en sur le plat de gros morceaux de chair à l'aide d'une cuillère à soupe. Ajoutez les germes de cresson, salez, poivrez, apportez à table avec une bouteille d'huile d'olive extra-vierge pour arroser et un citron pour presser.

POMMES DE TERRE Sortez les pommes de terre du four et portez-les à table.

PALETS DE POISSON Avec une spatule, déposez délicatement les palets de poisson sur la salsa. Décorez avec les petites feuilles de basilic mises de côté, salez légèrement. Apportez à table avec la bouteille de vin blanc bien fraîche.

COQUILLES SAINT-JACQUES « COLLANTES » À LA POÊLE

POUR 4 PERSONNES (avec plein de brownies en trop)

RIZ AU PIMENT DOUX, LÉGUMES VERTS ASSAISONNÉS
BROWNIES « MINUTE »

RIZ

1 grand mug de riz basmati
une petite botte d'oignons nouveaux
3 œufs
1 cuillère à soupe de sauce de soja
1 cuillère à soupe d'huile de sésame
½ citron
une petite botte de coriandre fraîche
sauce douce aux piments

LÉGUMES VERTS

4 pak-choï
200 g de brocoli violet à jets
200 g d'asperges
½ citron vert

COQUILLES SAINT-JACQUES

400 g de noix de saint-jacques
fraîches, propres, prêtes à cuire
1 citron
cinq-épices chinois
huile de sésame
facultatif : ½ piment rouge frais
1 gousse d'ail
miel liquide
2 noisettes de beurre
une petite botte de coriandre
   fraîche

ASSAISONNEMENT

huile d'olive
huile d'olive extra-vierge
sel de mer & poivre noir

BROWNIES (pour 12 personnes)

200 g de chocolat noir de bonne
qualité (avec une teneur
de 70 % en cacao)
250 g de beurre doux, à température
ambiante
200 g de sucre roux
6 cuillères à soupe rases
de cacao en poudre
4 cuillères à soupe bombées
de levure chimique
une poignée de gingembre
cristallisé
4 œufs
une poignée de noix de pécan
une poignée de cerises séchées
ou confites
1 clémentine
crème fraîche, pour servir

POUR COMMENCER Préparez tous vos ingrédients et ustensiles. Remplissez et faites chauffer la bouilloire. Préchauffez le four à 180 °C (th. 6). Faites chauffer une casserole à bord bas si possible (de 26 cm de diamètre, environ) à feu moyen. Installez la lame standard dans le robot.

RIZ Mettez le riz dans la casserole avec 2 pincées de sel. Recouvrez de 2 mugs d'eau bouillie (mesurez le riz et l'eau avec le même mug). Couvrez et laissez cuire 7 minutes. Remplissez et refaites chauffer la bouilloire.

BROWNIES Cassez le chocolat et coupez le beurre en morceaux grossiers, mettez dans le robot, ajoutez 200 g de sucre roux, 6 cuillères rases de cacao en poudre, 4 cuillères bombées de levure chimique, une poignée de gingembre cristallisé, mixez. Pendant que le robot fonctionne, cassez les œufs et ajoutez-les. Recouvrez un moule à gâteau d'environ 32 X 26 cm de papier sulfurisé, arrosez-le d'huile d'olive et répartissez-la bien sur toute la surface. Avec une spatule, faites couler la pâte et répartissez-la dans le moule, sur une épaisseur de 2,5 cm environ. Répartissez par-dessus les noix de pécan, les cerises, puis appuyez doucement pour les faire rentrer dans la pâte. Parsemez du zeste de la clémentine. Enfournez 12 à 14 minutes dans la partie haute du four.

COQUILLES SAINT-JACQUES Étalez les noix de saint-jacques sur un morceau de papier sulfurisé. Incisez-les en formant une croix jusqu'à la moitié de leur épaisseur, huilez, salez, poivrez, parsemez de zeste de citron râpé et de cinq-épices. Arrosez d'huile de sésame puis mélangez le tout.

RIZ Pelez et coupez finement les oignons nouveaux, mettez-les dans un saladier. Cassez les œufs, ajoutez 1 cuillère à soupe de sauce de soja, d'huile de sésame, ajoutez un peu d'huile d'olive, puis battez. Ôtez le couvercle posé sur la casserole de riz, puis aérez-le avec une fourchette. Versez les œufs battus par-dessus, pressez aussi le jus de ½ citron, ajoutez une pincée de sel & poivre. Couvrez, passez à feu très doux et laissez cuire encore 4 à 5 minutes.

COQUILLES SAINT-JACQUES Faites chauffer une grande poêle à feu très vif.

LÉGUMES VERTS Remplissez une casserole d'eau bouillie et mettez-la sur un feu moyen. Coupez chaque pak-choï en deux dans le sens de la hauteur, ôtez l'extrémité dure du brocoli et des asperges. Placez ces légumes dans une passoire, recouvrez hermétiquement de papier d'aluminium et mettez le tout au-dessus de la casserole d'eau bouillante. Laissez cuire quelques minutes, le temps d'attendrir les légumes, puis sortez du feu.

RIZ Coupez finement les feuilles et les tiges d'une petite botte de coriandre fraîche et parsemez-les sur le riz. Agrémentez le riz d'un bon trait de sauce douce aux piments, couvrez et portez à table.

COQUILLES SAINT-JACQUES Versez un bon trait d'huile d'olive dans la poêle très chaude. Placez les saint-jacques dans la poêle, côté incisé vers le bas. Hachez finement le piment frais si vous l'utilisez. Vous pouvez remuer un peu la poêle, mais ne retournez pas les Saint-Jacques avant 2 ou 3 minutes de cuisson, ou qu'elles ne soient déjà bien colorées. Retournez-les rapidement, et faites-les cuire encore 30 secondes. Ajoutez alors 1 gousse d'ail non pelée et écrasée et le piment. Ajoutez le jus de ½ citron, un peu de miel et deux noisettes de beurre. Sortez du feu. Quand le beurre est fondu et la sauce un peu collante, versez le tout dans un plat et décorez de feuilles de coriandre fraîche.

LÉGUMES VERTS Quand les légumes sont tendres, présentez-les sur un plat. Arrosez d'un peu de sauce de soja, d'huile d'olive extra-vierge et du jus de ½ citron vert. Goûtez et ajustez l'assaisonnement si besoin.

POUR SERVIR Portez le riz, les saint-jacques et les légumes verts à table. Répartissez dans des bols et attaquez ! Sortez le brownie du four et mettez-le de côté. Au dernier moment, servez-le encore chaud, avec des quartiers de clémentine et un peu de crème fraîche.

SUPER TAGINE DE POISSON

SALADE DE FENOUIL & CITRON

SEMOULE

« THÉ » MENTHE & ORANGE

POUR 4 PERSONNES

TAGINE

graines de fenouil
1 bâton de cannelle
1 petit oignon rouge
½ piment rouge frais
12 olives mélangées en bocal,
   dénoyautées
4 tomates
1 petit citron confit
1 cuillère à café bombée
   de ras-el-hanout ou
   de garam masala
safran
4 brins de coriandre fraîche
400 g de moules propres et ébarbées

SEMOULE

250 g de semoule

LOTTE

4 filets de lotte de 150 g, sans peau
   ni arêtes
2 gousses d'ail
graines de fenouil
ras-el-hanout ou garam masala
origan sec

SALADE

2 bulbes de fenouil
1 citron
une petite botte
   de coriandre fraîche

YAOURT

250 g de yaourt
1 cuillère à soupe de harissa

ASSAISONNEMENT

huile d'olive
huile d'olive extra-vierge
sel de mer & poivre noir

THÉ

une botte de menthe fraîche
½ orange
facultatif : du miel liquide
facultatif : des glaçons

POUR COMMENCER Préparez tous vos ingrédients et ustensiles. Faites chauffer le gril du four à pleine puissance. Faites chauffer à feu moyen un plat à tagine ou une large poêle à bord bas. Installez le disque à émincer fin dans le robot. Remplissez et faites chauffer la bouilloire.

TAGINE Dans le plat à tagine ou équivalent, assemblez un bon trait d'huile d'olive, une pincée de graines de fenouil et le bâton de cannelle. Sur une planche à découper en plastique, alignez les quatre filets de lotte. Coupez leurs extrémités sur 1 cm environ pour les égaliser. Placez les filets dans un petit plat à rôtir (ou un plat en terre). Coupez sommairement les extrémités des filets, mettez-les dans le tagine, mélangez souvent. Pelez et coupez finement l'oignon, coupez finement le ½ piment, ajoutez au reste. Incorporez également les olives.

SEMOULE Mettez 250 g de semoule dans un plat, assaisonnez d'une pincée de sel & poivre. Recouvrez d'eau bouillie à hauteur, arrosez d'un trait d'huile d'olive extra-vierge, puis couvrez avec un couvercle ou une assiette.

LOTTE Arrosez les filets d'huile d'olive. Ajoutez 2 gousses d'ail non pelées écrasées. Saupoudrez d'une pincée de graines de fenouil, de ras-el-hanout (ou de garam masala), d'origan, de sel & poivre. Mélangez bien puis placez sous le gril, en haut du four, 14 minutes ou le temps nécessaire à une cuisson parfaite.

TAGINE Hachez grossièrement la moitié des tomates, hachez finement le reste et ajoutez au tagine. Hachez finement le petit citron confit, ajoutez au tagine avec 1 cuillère à café bombée de ras-el-hanout et une pincée de safran. Mélangez bien le tout puis versez 25 cl d'eau. Si vous utilisez un plat à tagine, prenez alors son couvercle. Si c'est une poêle, confectionnez un couvercle avec du papier d'aluminium façonné en forme de cône. Pas d'inquiétudes, c'est facile à faire. Repliez bien les bords d'aluminium sur les bords intérieurs de la poêle afin de la couvrir hermétiquement. Hachez finement 4 brins de coriandre et ajoutez-les. Remuez un peu les moules,

éliminez toutes celles qui restent ouvertes et jetez-les. Ajoutez-les au tagine. Couvrez hermétiquement le tagine. Laissez cuire 8 minutes, ou le temps nécessaire pour que toutes les moules puissent s'ouvrir.

SALADE Éliminez la base et le sommet des bulbes de fenouil. Ôtez les grosses feuilles extérieures, mais conservez des petites feuilles vert tendre du sommet, s'il y en a. Coupez les bulbes en deux, puis émincez-les dans le robot. Écrasez légèrement le citron sous la paume de votre main et émincez-le aussi. Assemblez ces ingrédients dans un grand saladier. Éliminez les trop gros morceaux de peau du citron. Hachez grossièrement les feuilles de coriandre, coupez très finement les tiges (en éliminant quand même les extrémités). Placez les tiges hachées dans un bol avec l'huile d'olive extra-vierge, une pincée de sel & poivre, mélangez, ajoutez à la salade, décorez avec les feuilles de coriandre et portez à table.

LOTTE Jetez un coup d'œil à la lotte. Vérifiez la cuisson en coupant un des filets avec un couteau. Si c'est cuit, éteignez le four et couvrez le plat avec du papier d'aluminium. Laissez-le au four en attendant de passer à table. Remplissez et faites chauffer la bouilloire.

YAOURT Versez le yaourt dans un bol. Ajoutez 1 cuillère à soupe de harissa et un bon trait d'huile d'olive extra-vierge au milieu du yaourt. Tournez délicatement mais sans trop mélanger. Salez et apportez à table.

«THÉ» Placez les feuilles de menthe dans la théière, ajoutez les zestes de ½ orange. Remplissez d'eau bouillie, sucrez avec du miel, si vous aimez, et portez à table. (Vous pouvez aussi servir le « thé » glacé en y ajoutant des glaçons.)

POUR SERVIR Apportez directement le tagine et la semoule à table, avec la lotte. Ôtez le couvercle du tagine. Toutes les moules doivent être ouvertes, éliminez celles qui restent fermées. Parsemez de feuilles de coriandre. Aérez un peu la semoule en la soulevant délicatement avec une fourchette. Goûtez rapidement pour vérifier l'assaisonnement. Servez avec le tagine et la savoureuse lotte.

SAUMON FUMÉ

POUR 4 PERSONNES

SALADE DE POMMES DE TERRE
BETTERAVES AU COTTAGE CHEESE
PAIN DE SEIGLE & BEURRE MAISON

SALADE DE POMMES DE TERRE
500 g de pommes de terre Roseval,
    avec la peau
1 citron
2 brins de thym frais
une petite botte d'aneth frais

SAUMON
1 sachet de 100 g de cresson
    prêt à l'emploi
400 g de saumon fumé
    de bonne qualité
1 citron

3 cuillères à café bombées
    de crème de raifort
1 barquette de pousses de cresson

BEURRE
30 cl de crème épaisse

BETTERAVES
250 g de betteraves cuites,
    conditionnées sous vide
vinaigre balsamique
une petite poignée de basilic grec
    ou ordinaire

250 g de cottage cheese
quelques brins de thym frais
1 citron

ASSAISONNEMENT
huile d'olive
huile d'olive extra-vierge
sel de mer & poivre noir

POUR SERVIR
un pain de seigle
une bouteille de vin blanc
    ou de la bière fraîche

POUR COMMENCER Préparez tous vos ingrédients et ustensiles. Remplissez et faites chauffer la bouilloire. Faites chauffer une casserole munie de son couvercle à feu moyen. Placez le pain de seigle sur une planche à découper et portez-le à table avec un couteau. Installez le fouet dans le robot.

SALADE DE POMMES DE TERRE Lavez les pommes de terre, puis coupez-les grossièrement en morceaux de 3 cm environ. Éliminez les parties noires ou abîmées. Versez de l'eau bouillie dans la casserole avec une pincée de sel. Ajoutez les pommes de terre, quelques zestes de citron prélevés à l'économe et le thym. Couvrez et laissez cuire 10 minutes, ou le temps que les pommes de terre soient attendries.

SAUMON Placez le cresson sur une planche que vous porterez, plus tard, à table. Déposez le saumon par-dessus, en formant plus ou moins des vagues. Coupez le citron en quartiers. Déposez 3 cuillères à café bombées de crème de raifort à l'une des extrémités de la planche. Salez, poivrez, pressez dessus 2 quartiers de citron et arrosez d'un peu d'huile d'olive extra-vierge. Portez à table.

BEURRE Versez la crème dans le bol du robot, actionnez-le et laissez faire. En fait, pour obtenir du beurre, il suffit de... trop battre la crème.

BETTERAVES Déposez les betteraves sur une planche à découper et détaillez-les en morceaux grossiers. Présentez-les ensuite dans un plat avec deux bons filet de vinaigre balsamique, un trait d'huile d'olive extra-vierge et une pincée de sel & poivre. Prélevez les feuilles du basilic grec et éparpillez-les sur les betteraves. Mélangez bien. Goûtez et, si besoin, ajustez l'assaisonnement.

BEURRE À ce stade, la crème doit être devenue très épaisse et venir d'un seul tenant. Quand c'est prêt et que le beurre commence à se former vraiment, les sons venants du robot vont tout à coup changer. Placez alors le beurre dans un linge sur une passoire au-dessus de l'évier, et pétrissez-le pour lui donner une forme. Cela va éliminer l'eau qu'il contient encore en excès. Placez-le sur du papier sulfurisé, essayez de ne pas trop le manipuler pour ne pas risquer de le faire fondre. Saupoudrez-le légèrement de sel fin et placez-le à côté du pain.

BETTERAVES Ouvrez l'emballage du cottage cheese et versez un peu d'huile d'olive extra-vierge directement sur le fromage. Ajoutez du thym et une pincée de sel & poivre. Ajoutez, pour finir, le zeste finement râpé de ½ citron et mélangez. Arrangez bien les betteraves sur le plat et déposez par-dessus des cuillères à soupe de cottage cheese assaisonné. Poivrez encore un peu, arrosez d'huile d'olive extra-vierge et parsemez de feuilles de basilic grec. Portez à table.

SALADE DE POMMES DE TERRE Égouttez les pommes de terre et laissez-les fumer 2 minutes, le temps que vous hachiez finement l'aneth. Placez ensuite les pommes de terre dans un saladier avec l'aneth, une noisette de votre beurre maison, un trait d'huile d'olive extra-vierge, une pincée de sel & poivre et le jus de ½ citron. Mélangez le tout et portez à table.

POUR SERVIR Déposez les germes de cresson sur le saumon. Servez avec le vin blanc bien frais ou la bière et avec les quartiers de citron restants.

HADDOCK
À LA CRÈME DE MAÏS

GAMBAS ÉPICÉES

SALADE ARC-EN-CIEL

SMOOTHIE AUX FRAMBOISES
& FLEUR DE SUREAU

POUR 4 PERSONNES

CRÈME DE MAÏS

4 tranches de poitrine fumée
une petite botte d'oignons
   nouveaux
250 g de pommes de terre
   Roseval
4 épis de maïs
300 g de filets de haddock, sans peau
   ni arêtes
3 feuilles de laurier fraîches
3 brins de thym frais
1 l de bouillon de volaille bio
15 cl de crème liquide
200 g de queues de crevettes
   décortiquées et cuites
150 de pain azyme ou équivalent
   (en grandes surfaces)

GAMBAS EPICÉES

8 grosses gambas crues,
   non décortiquées
une noix de beurre
quelques brins de thym frais
1 cuillère à café rase de piment
   de Cayenne
cannelle en poudre
4 gousses d'ail
½ piment rouge frais
½ citron

ASSAISONNEMENT

huile d'olive
huile d'olive extra-vierge
sel de mer & poivre noir

SALADE

½ piment rouge frais

1 gousse d'ail
une petite botte d'estragon
2 cuillères à soupe de vinaigre
   de vin rouge
3 cuillères à soupe de yaourt nature
   maigre
1 belle courgette
2 carottes
1 betterave, rouge ou orange
1 barquette de germes de cresson

SMOOTHIE

glaçons
2 brins de menthe fraîche
sirop de fleur de sureau
150 g de framboises
1 l d'eau pétillante type
   « schwepps »

POUR COMMENCER Préparez tous vos ingrédients et ustensiles. Installez le disque à râpe épaisse dans le robot. Faites chauffer une large et profonde casserole à feu vif. Faites chauffer le gril du four à pleine puissance.

CRÈME DE MAÏS Coupez finement la poitrine fumée et placez-la dans la casserole chaude avec un bon trait d'huile d'olive. Faites dorer en mélangeant. Préparez et coupez finement les oignons nouveaux, ajoutez-les et remuez. Lavez les pommes de terre et coupez-les en morceaux de 2 cm. Mettez-les aussi dans la casserole et mélangez bien. Surveillez bien la cuisson et remuez souvent. Récupérez les grains de maïs. Déposez un torchon propre sur le plan de travail et ôtez les extrémités des épis. Tenez un épi « debout », puis faites courir la lame d'un couteau le long de l'épi, de haut en bas, pour détacher les grains. Faites de même avec les autres épis, puis jetez-les. Ajoutez les grains de maïs aux pommes de terre avec le haddock, les 3 feuilles de laurier fraîches, les 3 brins de thym frais. Recouvrez le tout avec le bouillon de volaille, couvrez, portez à ébullition et laissez cuire 12 minutes.

GAMBAS ÉPICÉES Placez les gambas dans un plat allant au four avec un bon trait d'huile d'olive, une noix de beurre, une pincée de sel & poivre, quelques brins de thym frais, 1 cuillère à café rase de piment de Cayenne et une pincée de cannelle en poudre. Ajoutez 4 gousses d'ail écrasées non pelées, ½ piment rouge frais épépiné et finement coupé, et ½ citron. Mélangez bien puis mettez à dorer sous le gril du four 8 à 10 minutes. Sortez les crevettes dorées du four et mettez-les de côté.

SALADE Pour la vinaigrette, assemblez dans le robot ½ piment rouge frais, 1 gousse d'ail pelée, une petite botte d'estragon, une pincée de sel & poivre, 2 cuillères à soupe de vinaigre de vin rouge, 6 cuillères à soupe d'huile d'olive extra-vierge, 3 cuillères à soupe de yaourt nature maigre. Mixez finement pour obtenir une préparation

homogène. Goûtez : le sel et l'acidité doivent légèrement dominer. Rectifiez l'assaisonnement en conséquence et mixez encore un peu. Versez cette vinaigrette dans une petite carafe et apportez-la à table.

CRÈME DE MAÏS Mélangez bien, et couvrez à nouveau.

SALADE Lavez la courgette et les carottes, éliminez les extrémités. Pelez rapidement la betterave et les carottes. Râpez tous les légumes, un par un, dans le robot. Présentez ensuite les légumes râpés sur un plat en formant un bel arc-en-ciel et déposez les germes de cresson par-dessus. Apportez à table, placez à côté de la vinaigrette. Ne versez la vinaigrette sur la salade qu'au dernier moment.

CRÈME DE MAÏS Ajoutez dans la casserole 15 cl de crème liquide et les crevettes cuites. Mélangez bien. Couvrez et laissez cuire un peu à feu doux. Présentez les pains azymes, en pile, sur la table.

SMOOTHIE Rincez le bol du robot, mettez-y deux belles poignées de glaçons, les feuilles de 2 brins de menthe et mixez finement. Laissez tourner le mixer et ajoutez 50 cl de sirop de sureau et les framboises. Versez 50 cl d'eau pétillante et mixez encore pour que tout soit bien mélangé. Goûtez, ajoutez un peu plus d'eau de sureau pour sucrer, si besoin. Versez dans une carafe, ajoutez de l'eau pétillante par-dessus et mélangez juste avant de servir.

CRÈME DE MAÏS Sortez la casserole du feu. Vous pouvez laisser la crème de maïs avec de gros morceaux, comme elle est ou, au contraire, écraser les pommes de terre avec un presse-purée : à vous de voir. Moi, j'aime bien en garder une partie avec des morceaux et mixer le reste.

POUR SERVIR Apportez les gambas à table avec la crème de maïs. Brisez quelques morceaux de pain azyme dans chaque bol, versez la crème de maïs dessus avec 2 gambas, à côté. Mélangez la salade, goûtez, assaisonnez et servez.

POISSON AU FOUR

POUR 4 PERSONNES (avec assez de tarte au caramel pour 10 personnes)

POMMES DE TERRE « JERSEY ROYALS »
SALSA VERDE, SALADE D'ÉPINARDS TOUTE SIMPLE
TARTE BANOFFEE DES TRICHEURS

POMMES DE TERRE

500 g de pommes de terre nouvelles,
   Jersey Royals, si possible
les tiges d'une grosse botte
   de menthe fraîche
un trait de jus de citron

POISSON

4 x 150 g de filets de saumon,
   avec la peau, écaillé et sans arêtes
8 gambas ou grosses crevettes crues,
   non décortiquées
une botte d'asperges
1 citron
1 piment rouge frais
une petite botte de basilic frais
1 boîte de 30 g de filet d'anchois
   à l'huile
4 gousses d'ail
3-4 tomates
4 tranches de pancetta

SALSA VERDE

les feuilles de ½ botte de menthe
   fraîche (prenez sur la botte utilisée
   pour les pommes de terre)
une petite botte de persil plat
1 gousse d'ail
2 cuillères à soupe de vinaigre
   de vin rouge
1 cuillère à café bombée de moutarde
   de Dijon
1 cuillère à café bombée de câpres
2 cornichons

SALADE D'ÉPINARDS

vinaigre balsamique
1 citron
les feuilles de ½ botte de menthe
   fraîche (prenez la botte utilisée
   pour les pommes de terre)
200 g de pousses d'épinards,
   prêtes à l'emploi

ASSAISONNEMENT

huile d'olive
huile d'olive extra-vierge
sel de mer & poivre noir

TARTE BANOFFEE

(pour 8 à 10 personnes)
4 cuillères à soupe bombées
   de sucre roux
4 bananes mûres
10 cl de lait demi-écrémé
1 moule rond de pâte déjà cuite
   (environ 200 g)
30 cl de crème épaisse
1 cuillerée à soupe d'extrait liquide
   de café
100 g de bon chocolat noir
   (à 70 % de cacao), pour servir

POUR COMMENCER Préparez tous vos ingrédients et ustensiles. Faites de la place dans votre congélateur pour pouvoir y mettre la pâte dans son moule. Remplissez et faites chauffer la bouilloire. Faites chauffer une casserole à feu vif et le gril du four à pleine puissance. Installez la lame standard dans le robot.

POMMES DE TERRE Lavez les pommes de terre et mettez-les dans la casserole. Récupérez les petites feuilles de la botte de menthe et mettez de côté. Mettez la botte de menthe (que les tiges, donc) encore attachée dans la casserole avec une pincée de sel. Recouvrez d'eau bouillie à hauteur et couvrez.

TARTE BANOFEE Faites chauffer une poêle moyenne à feu vif. Répartissez 4 cuillères à soupe bombées de sucre roux dans la poêle chaude. Laissez fondre. Pelez 2 bananes et mixez-les au blender avec 10 cl de lait pour obtenir la consistance d'un smoothie. Penchez doucement la poêle pour aider à faire fondre le sucre. Quand le sucre est doré et bouillonnant, versez le mélange à la banane dedans. Ne touchez pas la poêle : le caramel est brûlant. Mélangez sans arrêt 1 à 2 minutes pour que le mélange n'attache pas et qu'il prenne une couleur dorée, assez sombre. Versez cette préparation sur le moule de pâte cuite (🍽). Répartissez bien, puis transférez délicatement le moule avec la préparation sur un plat et laissez refroidir quelques minutes au congélateur.

POISSON Déposez les filets de saumon et les gambas dans un plat à rôtir. Éliminez la base dure des asperges. Déposez les pointes d'asperges à côté du poisson, salez & poivrez. Coupez le citron en quartiers et répartissez-les dans le plat avec le piment haché et les feuilles de basilic. Arrosez le tout avec l'huile de la boîte des anchois et déchirez 4 filets dans le plat. Écrasez-y 4 gousses d'ail non pelées, arrosez d'huile d'olive. Hachez grossièrement les tomates et ajoutez-les.

Arrangez tous ces ingrédients dans le plat, les citrons face à vous et les filets de saumon disposés côté peau vers le haut. Déposez-y 4 tranches de pancetta, puis enfournez 10 minutes au milieu du four pour que la pancetta soit bien dorée et croustillante et le poisson cuit à cœur.

POMMES DE TERRE Vérifiez la cuisson des pommes de terre, sortez la casserole du feu et égouttez-les. Jetez les tiges de menthe et mettez les pommes de terre dans un saladier. Assaisonnez-les avec un trait d'huile d'olive extra-vierge, un peu de jus de citron, une pincée de sel & poivre.

SALSA VERDE Mettez la moitié des feuilles de menthe réservées dans le robot. Ajoutez toutes les feuilles du persil avec 1 gousse d'ail pelée, le reste des anchois à l'huile, 2 cuillères à soupe de vinaigre de vin rouge 1 cuillère à café bombée de moutarde de Dijon, 1 cuillère à café bombée de câpres, les cornichons et 6 cuillères à soupe d'huile d'olive extra-vierge. Mixez et mélangez les ingrédients. Ajustez l'assaisonnement. Versez dans un bol et portez à table.

SALADE D'ÉPINARDS Versez quelques lampées d'huile d'olive extra-vierge dans un saladier. Ajoutez une pincée de sel & poivre, deux lampées de vinaigre balsamique et un peu de jus de citron. Coupez-y finement le reste des feuilles de menthe. Taillez les pousses d'épinards en petites section de 1 cm sur la planche à découper. Mettez-les dans le saladier, sur la vinaigrette, et portez à table sans mélanger.

TARTE BANOFFEE Dans un grand bol, battez la crème épaisse avec un fouet jusqu'à ce qu'elle épaississe. Incorporez l'extrait de café, mélangez pour obtenir un bel effet marbré. Pelez et coupez finement en biais les deux bananes restantes. Sortez le moule du congélateur et garnissez-le avec les bananes. Déposez la crème sur les bananes avec une spatule. Râpez dessus du chocolat noir (🍽). Remettez au congélateur en attendant.

POISSON Sortez le plat du four et apportez-le à table. Servez avec une bouteille de vin blanc frais.

MOULES
BLOODY MARY
SALADE AUX HERBES
SUPERBE
MILLEFEUILLES
DE RHUBARBE

MOULES

30 cl de passata (coulis de tomates)

1 cuillère à soupe de sauce Worcestershire

3 cuillères à café bombées de crème de raifort

½-1 piment rouge frais, à votre goût

½ tête de céleri

4 gousses d'ail

un trait de porto

un bon trait de vodka

1 citron

2 kg de moules, nettoyées et ébarbées (demandez au poissonnier de vous les préparer)

une petite botte de persil plat frais

SALADE AUX HERBES

5 petites tomates

vinaigre balsamique

½ citron

5 brins de chaque : persil, estragon, aneth, menthe et basilic

100 g de roquette prête à l'emploi

ASSAISONNEMENT

huile d'olive

huile d'olive extra-vierge

sel de mer & poivre noir

MILLEFEUILLES DE RHUBARBE

farine, pour le plan de travail

375 g de pâte feuilletée prête à étaler

1 œuf

200 g de rhubarbe

2 cuillères à soupe bombées de sucre roux

1 orange

un morceau de 2 cm de gingembre frais

1 cuillère à café de pâte ou d'extrait de vanille

125 g de crème fraîche

150 g de bonne crème anglaise

POUR SERVIR

du pain croustillant

une bonne ale ou une bière belge

POUR COMMENCER Préparez tous vos ingrédients et ustensiles. Allumez le four à 190 °C (th. 6). Faites chauffer à feu moyen une grande casserole avec un couvercle et une petite.

MILLEFEUILLES À LA RHUBARBE Farinez une plaque à pâtisserie bien propre. Déroulez la pâte feuilletée, coupez-la en deux pour vous retrouver avec deux carrés de pâte de 20 x 20 cm. Posez une de ces découpes sur la plaque de cuisson et congelez celle qui reste pour une utilisation ultérieure. Écrasez chaque coin de carré de pâte avec les pouces puis, avec un couteau, incisez la pâte le long des bords, sur 1 cm, pour créer une bordure. Incisez ensuite très légèrement la surface de la pâte avec un couteau en un motif croisé. Battez l'œuf dans un petit bol et, avec un pinceau à pâtisserie, dorez toute la pâte. Enfournez 20 minutes dans le haut du four.

Coupez la rhubarbe en tranches de 1 cm d'épaisseur, mettez-les à cuire dans la petite casserole avec 2 cuillères à soupe bombées de sucre roux. Ajoutez le zeste finement râpé de ½ orange. Pelez et râpez finement 2 cm de gingembre, ajoutez-le au reste. Ajoutez aussi 1 cuillère à café d'extrait ou de pâte de vanille. Couvrez, laissez cuire en mélangeant de temps en temps, pendant que vous commencez à vous occuper d'autres tâches.

MOULES Mettez une belle quantité de pain dans le bas du four pour le réchauffer. Versez la passata (coulis de tomates) dans un pichet avec 1 cuillère à soupe de sauce Worcestershire et 3 cuillères à café bombées de crème de raifort. Coupez très finement (pour plus de force) ½ piment rouge frais (ou plus, si vous aimez), ajoutez au pichet. Mettez de côté la tête du céleri et lavez le cœur, en gardant sur une assiette les délicates petites feuilles jaunes. Supprimez l'extrémité des tiges de céleri, coupez-en finement 2 ou 3 tiges et mettez-les, elles aussi, dans le pichet. Ajoutez 4 gousses d'ail écrasées non pelées, un petit trait de porto et un bon trait de vodka. Mélangez bien, ajoutez le jus de 1 citron, salez et poivrez.

MILLEFEUILLES À LA RHUBARBE À ce stade, la rhubarbe doit être cuite. Coupez le feu et laissez épaissir dans la casserole munie de son couvercle.

SALADE AUX HERBES Hachez les tomates, le reste du céleri et mettez le tout dans un plat. Saupoudrez d'une bonne pincée de sel & poivre, arrosez d'un peu d'huile d'olive extra-vierge, d'un peu de vinaigre balsamique et du jus de ½ citron.

MOULES Remuez un peu les moules. Si quelques-unes restent ouvertes, jetez-les. Mettez toutes les bonnes moules dans la grande casserole chaude et versez par-dessus la préparation « bloody Mary ». Couvrez, mélangez, et laissez les moules cuire à feu vif.

SALADE AUX HERBES Prélevez les feuilles de vos herbes et ajoutez-les au plat de salade avec la roquette. Ajoutez un filet d'huile d'olive extra-vierge, du vinaigre balsamique, sel & poivre. Portez le plat à table et mélangez au dernier moment.

MOULES Surveillez les moules et remuez bien la casserole.

MILLEFEUILLES À LA RHUBARBE À ce stade, la pâte feuilletée doit être superbement dorée. Sortez du four puis, avec vos mains ou une spatule, aplatissez doucement le milieu gonflé de la pâte. Laissez refroidir pendant un moment, puis transférez la pâte cuite sur un plat de service. Sortez le pain du four qui doit être chaud, maintenant.

MOULES Quand les moules sont ouvertes, égouttez-les de la casserole avec une écumoire, mettez-les dans un plat de service. Faites bouillir, réduire et épaissir le jus de cuisson dans sa casserole. Pendant ce temps, si vous remarquez des moules encore fermées, jetez-les. Hachez finement le sommet de la petite botte de persil. Versez le jus de cuisson brûlant sur les moules, arrosez d'huile d'olive, parsemez de persil haché et portez à table. Répartissez les moules et leur jus dans 4 bols et laissez les convives saucer le jus avec des morceaux de pain chaud.

MILLEFEUILLES À LA RHUBARBE Quand vous êtes prêt à passer au dessert, faites couler presque toute la crème fraîche et la crème anglaise sur la pâte feuilletée cuite. Recouvrez de rhubarbe cuite, puis finissez avec le reste de crème fraîche et de crème anglaise. Portez à table et servez.

BAR &
PANCETTA CROUSTILLANTE

PURÉE DE PATATES DOUCES
LÉGUMES VERTS ASIATIQUES
GLACE AUX BAIES MINUTE
BOISSON PÉTILLANTE
AU CITRON & GINGEMBRE

POUR 4 PERSONNES

PURÉE
700 g de patates douces
2 citrons verts
une petite botte de coriandre
2 cuillères à soupe
    de chutney de mangue
sauce de soja

LÉGUMES VERTS
1 piment rouge frais
1 gousse d'ail
sauce de soja
1 citron vert
huile de sésame

250 g d'asperges
1 tête de brocoli

BAR
8 tranches fines de pancetta
4 filets de bar de 150 g, avec la peau,
    écaillés et sans arêtes
1 cuillère à café de graines de fenouil
1 citron

ASSAISONNEMENT
huile d'olive
huile d'olive extra-vierge
sel de mer & poivre noir

BOISSON AU GINGEMBRE
glaçons
1 canette de limonade (33 cl)
quelques tiges de menthe fraîche
un morceau de 2 cm
    de gingembre frais
1 bouteille d'eau gazeuse

GLACE AUX BAIES
1 sachet de 500 g de baies surgelées
150 g de myrtilles fraîches
3-4 cuillères à soupe de miel liquide
500 g de yaourt nature
quelques tiges de menthe fraîche

POUR COMMENCER Préparez tous vos ingrédients et ustensiles. Remplissez et faites chauffer la bouilloire. Préchauffez le four à 190 °C (th. 6). Faites chauffer une grande casserole avec un couvercle et une grande poêle, à feu moyen. Placez 4 verres dans le congélateur pour le dessert. Équipez le robot de sa lame standard.

PURÉE Lavez les patates douces, éliminez les éventuelles parties noires, puis percez-les plusieurs fois avec un couteau. Placez-les dans un grand bol avec 1 citron vert coupé en deux et faites-les cuire à puissance maximale 12 minutes dans le four micro-ondes.

LÉGUMES VERTS Épépinez et hachez finement le piment, placez-en la moitié dans un grand saladier et mettez le reste de côté. Écrasez la gousse d'ail non épluchée dans le saladier, et ajoutez 2 cuillères à soupe de sauce de soja et 4 à 6 cuillères à soupe d'huile d'olive extra-vierge. Ajoutez le jus de 1 citron vert et un trait d'huile de sésame. Mélangez, goûtez et ajoutez un peu plus de sauce de soja, si besoin. Pelez les tiges d'asperges, coupez le brocoli en quartiers, dans la longueur, du sommet vers la base.

BAR Mettez la pancetta dans la poêle avec un peu d'huile d'olive, faites-la dorer en la retournant de temps en temps. Surveillez bien.

BOISSON Remplissez une carafe de glaçons à mi-hauteur. Ajoutez la limonade et les tiges de menthe. Pelez et râpez finement 2 cm de gingembre frais. Ajoutez à la limonade, versez par-dessus l'eau gazeuse, mélangez avec une cuillère en bois, portez à table.

BAR La pancetta doit être bien dorée. Placez-la sur une assiette et laissez le gras dans la poêle. Déposez dans la poêle les filets de bar, peau vers le bas. Remuez un peu la poêle et utilisez une spatule pour presser quelques secondes les filets qui cuisent. Pilez 1 cuillère à café de graines de fenouil dans un mortier et saupoudrez sur le poisson, d'assez haut pour bien répartir. N'oubliez pas de saler et de poivrer. Râpez par-dessus le zeste de 1 citron, puis coupez ce citron en quartiers, mettez de côté.

PURÉE Hachez finement la coriandre sur une grande planche en bois, mettez quelques feuilles de côté pour la décoration. Ajoutez par-dessus le chutney de mangue, un bon trait de sauce de soja, un peu d'huile d'olive extra-vierge, le jus de ½ citron vert et le reste de piment haché mis de côté. Hachez et mélangez le tout, directement sur la planche.

LÉGUMES VERTS Remplissez la grande casserole avec de l'eau bouillie et ajoutez une belle pincée de sel. Plongez-y entièrement le brocoli et les asperges, couvrez et faites cuire à feu vif.

BAR Surveillez le poisson : une fois que la peau des filets est bien dorée et croustillante, passez à feu doux. Assurez-vous que la peau est croustillante avant de baisser le feu.

PURÉE Sortez les patates douces du four micro-ondes et vérifiez si elles sont bien cuites. Pressez par-dessus les moitiés de citron vert, puis jetez-les. Déposez les patates douces cuites sur le chutney de mangue, puis avec un pilon ou un couteau, hachez ou écrasez le tout, la peau des patates y compris. Assaisonnez à votre goût, ajoutez un peu de plus de jus de citron vert frais, si besoin.

BAR Sortez la poêle du feu. Retournez les filets de bar et laissez-les finir de cuire tout doucement (côté chair, donc). Remettez la pancetta dans la poêle pour la réchauffer. Servez les filets de bar et la pancetta sur la planche contenant déjà la purée de patates douces. Présentez les quartiers de citrons à côté, à presser sur le poisson au dernier moment par les convives. Décorez avec des feuilles de coriandre mises de côté. Portez à table.

LÉGUMES VERTS Égouttez le brocoli et les asperges dans un saladier, puis mettez-les dans le grand saladier avec la vinaigrette. Mélangez rapidement, portez à table.

GLACE AUX BAIES Sortez les verres et les baies du congélateur. Répartissez-y les myrtilles. Assemblez dans le mixer le yaourt, le miel, les feuilles des brins de menthe et mixez. Ajoutez les baies surgelées et mixez pour que tous les ingrédients soient bien incorporés. Déposez de la glace avec une cuillère à soupe sur les myrtilles : mmm !

SAUMON
À L'ASIATIQUE
BOUILLON DE NOUILLES
SALADE
DE GERMES DE SOJA
DESSERT
AUX LYCHEES

POUR 4 PERSONNES

SAUMON

un morceau de 2 cm
   de gingembre frais
2 gousses d'ail
1 petit oignon rouge
½ piment rouge
1 cuillère à soupe de sauce de soja
2 citrons verts
4 morceaux de filet de saumon
   de 180 g, avec la peau, écaillé
   et sans arêtes
mélange cinq-épices chinois

SALADE

une grosse botte de coriandre fraîche
400 g de germes de soja
100 g de noix de cajou

miel liquide, pour arroser
½ piment rouge frais
1 petite mangue mûre
sauce de soja
huile de sésame
1 citron ou citron vert

BOUILLON

4 oignons nouveaux
1-2 piments rouges frais
2 gousses d'ail
un morceau de 2 cm
   de gingembre frais
1 cuillère à café de mélange
   cinq-épices chinois
3 cuillères à café de fécule de maïs
1 cube de bouillon de volaille bio

200 g de pois gourmands
sauce de soja, pour assaisonner
200 g de nouilles sèches chinoises,
   aux œufs

ASSAISONNEMENT

huile d'olive
huile d'olive extra-vierge
sel de mer & poivre noir

DESSERT AUX LYCHEES

125 g de myrtilles
425 g de lychees au sirop
2 paquets de caramel au sésame
50 cl de glace à la vanille
   de bonne qualité
un brin de menthe fraîche

POUR COMMENCER Regroupez tous les ingrédients et les ustensiles près de vous. Remplissez et faites chauffer la bouilloire. Préchauffez le four à 250 °C (th. 8).

SAUMON Pelez un morceau de gingembre de 2 cm, les 2 gousses d'ail et le petit oignon rouge. Hachez-le grossièrement, mettez le tout dans un robot avec le ½ piment et 1 cuillère à soupe de sauce de soja. Ajoutez le jus de 2 citrons verts et mixez finement. Goûtez, vérifiez l'équilibre sucré/salé. Versez la préparation dans un plat allant au four, juste assez grand pour contenir le poisson. Ajoutez un peu d'huile d'olive, couchez les morceaux de saumon dans cette sauce (la peau vers le haut). Saupoudrez un peu de mélange cinq-épices et de poivre noir, puis mettez le plat dans le haut du four 18 minutes, ou le temps qu'il soit parfaitement cuit.

SALADE Mettez de côté quelques brins de coriandre fraîche, récupérez les feuilles du reste de la botte et placez-les dans un grand saladier. Hachez finement les tiges, ajoutez-les dans le bol avec les germes de soja, puis mettez de côté. Faites chauffer une grande poêle à feu doux.

BOUILLON Faites chauffer une grande casserole à feu moyen. Pelez et coupez finement 4 oignons nouveaux. Mettez-les dans la casserole avec un bon trait d'huile d'olive. Coupez finement 1 piment rouge, ajoutez-le aux oignons, mélangez, incorporez 2 gousses d'ail non pelées et écrasées. Pelez le gingembre, râpez-le finement, ajoutez-le au reste, mélangez bien.

SALADE Enveloppez les noix de cajou dans un linge propre et frappez-les avec un rouleau à pâtisserie sur le plan de travail. Mettez-les dans la poêle vide, ajoutez un peu d'huile d'olive, mélangez et faites dorer en remuant de temps en temps.

BOUILLON Dans la casserole contenant déjà les oignons nouveaux, ajoutez 1 cuillère à café de mélange cinq-épices, 3 cuillères à café de fécule de maïs. Versez 90 cl de bouillon de volaille et ajoutez 200 g de pois gourmands. Passez à feu vif,

portez à ébullition, goûtez, ajustez l'assaisonnement avec de la sauce de soja. Jetez les nouilles dans le bouillon et couvrez.

SALADE Surveillez les noix de cajou : elles doivent maintenant être bien dorées. Sortez la poêle du feu et versez un beau trait de miel liquide. Mélangez, mettez de côté.

DESSERT AUX LYCHEES Retournez la planche à découper. Coupez en deux une petite poignée de myrtilles et mettez-les dans un saladier avec le reste des myrtilles encore entières. Ajoutez les lychees avec une partie de leur jus. Mélangez et portez à table.

SALADE Coupez finement le ½ piment rouge. Pelez la mangue, puis découpez la chair en copeaux (⌣) et ajoutez-les à la salade avec le ½ piment rouge. Ajoutez les noix de cajou dorées au miel par-dessus. Assaisonnez le tout avec de la sauce de soja, de l'huile d'olive extra-vierge, de l'huile de sésame, puis le jus de 1 citron ou de 1 citron vert. Mélangez délicatement avec vos mains (attention aux noix de cajou, sans doute encore assez chaudes).

DESSERT AUX LYCHEES Enveloppez les caramels au sésame dans un linge propre, puis écrasez-les contre le plan de travail pour obtenir une poudre. Présentez cette poudre dans un petit bol et portez à table avec la glace.

POUR LE SERVICE Apportez le bouillon et la salade à table. Sortez le saumon du four, agrémentez-le avec les brins de coriandre entiers réservés plus haut, et portez à table. Avec une pince à pâtes, répartissez d'abord les nouilles dans les bols de service puis le bouillon. Posez par-dessus un morceau de saumon et quelques cuillères de la succulente sauce du plat de cuisson du poisson.

DESSERT AUX LYCHEES Préparez le dessert au dernier moment, en superposant des cuillérées de glace et de fruits (lychees et myrtilles) dans des coupes. Arrosez avec le jus des fruits venant du bol, décorez chaque coupe avec quelques feuilles de menthe et saupoudrez de caramel au sésame écrasé.

SAUMON CROUSTILLANT

RIZ AUX POIVRONS

SALADE DE PETITES COURGETTES

SUPER GUACAMOLE

BOISSON PÉTILLANTE AUX BAIES

POUR 6 PERSONNES

SAUMON

2 poivrons rouges
une botte d'oignons nouveaux
2 piments rouges
1 filet de saumon de 1 kg, avec la
   peau, écaillé et sans arêtes
1 citron
graines de fenouil

RIZ

1 mug de riz basmati
½ pot de 450 g de poivrons rouges
   en bocal
quelques brins de basilic frais
vinaigre balsamique

SALADE

1 citron
quelques tiges de menthe fraîche
1-2 piments rouges frais
400 g de petites courgettes

ASSAISONNEMENT

huile d'olive
huile d'olive extra -vierge
sel de mer & poivre noir

GUACAMOLE

4 oignons nouveaux
une petite botte de coriandre fraîche
1 piment rouge frais
1 gousse d'ail

2 citrons verts
2-3 petits avocats mûrs
1 poignée de tomates cerise

EXTRAS

1 paquet de tortillas
15 cl de crème épaisse
   (ou de crème aigre)

**BOISSON AUX BAIES
PETILLANTE**

une belle barquette de myrtilles,
   de cassis ou de fraises
glaçons
quelques brins de menthe fraîche
une bouteille d'eau gazeuse

POUR COMMENCER Préparez tous vos ingrédients et vos ustensiles. Remplissez et faites chauffer la bouilloire. Préchauffez le gril du four à pleine puissance. Faites chauffer une casserole à feu moyen. Installez la lame standard dans le robot.

LE SAUMON Versez un ou deux bons traits d'huile d'olive dans un plat à rôtir. Coupez en deux et épépinez les poivrons rouges. Coupez ensuite les poivrons et les oignons nouveaux en morceaux de 2 cm. Hachez grossièrement les piments. Huilez le saumon des deux côtés, salez et parsemez-le de zestes de citron finement râpés. Étalez bien ces saveurs sur tout le poisson, puis lavez-vous les mains. Si besoin, coupez le saumon pour qu'il puisse rentrer dans la plaque de cuisson. Installez-le, côté peau vers le haut, et entourez-le avec les légumes coupés plus haut. Mettez dans le four à mi-hauteur, sous le gril, et réglez le minuteur sur 14 minutes.

RIZ Mettez le riz dans une casserole de taille moyenne avec une pincée de sel, puis recouvrez-le de 1,5 cm d'eau bouillie. Couvrez, passez sur feu vif et laissez cuire pendant 7 minutes. Quand le riz est cuit, sortez la casserole du feu et laissez refroidir pendant 7 minutes, sans ôter le couvercle.

SALADE Pressez le jus de ½ citron dans un grand saladier, ajoutez un ou deux bons traits d'huile d'olive extra-vierge et une bonne pincée de sel & poivre. Hachez finement les feuilles de menthe et ½ piment, ajoutez au saladier. Faites autant de fins copeaux de petites courgette que vous pourrez, mettez-les dans le saladier, et mettez ce qui reste des courgettes sur la planche à découper. Apportez le saladier à table, mais ne mélangez pas la salade avant d'être prêt à la servir.

RIZ Hachez grossièrement les poivrons avec les feuilles de basilic et les restes de courgettes laissés sur la planche à découper. Salez, poivrez, ajoutez un bon trait d'huile d'olive extra-vierge et de vinaigre balsamique.

BOISSON Mixez les baies pour en faire une purée. Remplissez à moitié une carafe avec des glaçons et ajoutez les feuilles de quelques brins de menthe. Placez une passoire au-dessus de la carafe et passez la purée de baies à travers en vous aidant du dos d'une cuillère à soupe. Éliminez les

peaux et pépins restés dans la passoire. Versez ensuite l'eau pétillante, mélangez et portez à table. Rincez le bol du robot.

SAUMON Quand les 14 minutes de cuisson sont écoulées, sortez-le du four. Avec un couteau et vos doigts, décollez délicatement la peau du poisson, puis reposez-la sur le filet. Ajoutez une pincée de sel et de graines de fenouil. Mettez les poivrons reposants dans le plat par-dessus, puis remettez le tout à cuire au four, 5 minutes sous le gril, ou le temps nécessaire pour que la peau devienne vraiment croustillante.

GUACAMOLE Pelez les oignons nouveaux, puis mettez-les dans le robot avec presque toute la coriandre, le piment (sans sa tige), 1 gousse d'ail pelée, le jus de 1 de vos citrons verts et un bon trait d'huile d'olive extra-vierge. Mixez pendant que vous dénoyautez les avocats et que vous coupez les tomates en quartiers. Arrêtez de mixer. Ajoutez les avocats pelés, les tomates et mixez jusqu'à obtenir une purée avec des morceaux. Mettez dans un bol, ajoutez plus d'assaisonnement ou de jus de citron vert si besoin. Portez à table avec quelques quartiers de citron vert à presser au dernier moment.

RIZ Aérez rapidement le riz avec une fourchette, puis déposez-le sur la planche à découper sur laquelle reposent les légumes hachés et mélangez le tout. Portez à table. Faites chauffer un gril à feu vif.

SAUMON Utilisez des pinces pour retourner la peau de saumon croustillante. Salez, poivrez et laissez cuire encore 5 minutes.

EXTRAS Faites réchauffer les tortillas une par une sur le gril, quelques secondes de chaque côté (vous pouvez aussi les réchauffer toutes ensembles dans le four micro-ondes pendant 15 secondes.) Mettez la crème dans un bol, arrosez-la de quelques gouttes d'huile d'olive extra-vierge et portez le tout à table.

POUR SERVIR Portez le saumon à table et servez-le avec la belle salade.

RÔTI DE BŒUF

MINI PUDDINGS
PETITES CAROTTES
POMMES DE TERRE CROUSTILLANTES
JUS EXPRESS

POUR 4 PERSONNES

POMMES DE TERRE
500 g de pommes de terre roseval
1 citron
4 brins de romarin ou de thym frais
1 tête d'ail

BŒUF
8 brins de chacune
    de ces herbes fraîches :
    romarin, sauge et thym
700 g de filet de bœuf

CAROTTES
500 g de petites carottes
2 brins de thym frais
2 feuilles de laurier frais

1 cuillère à soupe bombée
    de sucre en poudre
une noix de beurre

PUDDINGS
un peu moins de 1 mug
    de farine
1 mug de lait
1 œuf

SALADE DE CRESSON
½ oignon rouge
2 cuillères à soupe de vinaigre
    de vin rouge
1 cuillère à soupe de sucre roux
100 g de cresson prêt à l'emploi

JUS
½ oignon rouge
12 petits champignons de Paris
1 cuillère à soupe bombée de farine
1 petit verre de vin rouge
30 cl de bouillon de volaille bio

ASSAISONNEMENT
huile d'olive
huile d'olive extra-vierge
sel de mer & poivre noir

POUR SERVIR
sauce au raifort et à la crème
moutarde anglaise
une bouteille de vin rouge

POUR COMMENCER Regroupez tous les ingrédients et les ustensiles près de vous. Remplissez et faites chauffer la bouilloire. Préchauffez le four à 220 °C (th. 7) et placez sur la grille en haut du four un moule à mini-muffins de 12 alvéoles. Faites chauffer à feu moyen 1 grande casserole et 2 grandes poêles. Installez la lame fine dans le robot.

POMMES DE TERRE Lavez les pommes de terre sans les peler. Coupez-les en morceaux de 2 cm et mettez à cuire dans l'une des poêles. Recouvrez d'eau bouillante, salez et couvrez. Faites cuire pendant 8 minutes à feu vif, ou le temps nécessaire pour obtenir une juste cuisson. Remplissez la bouilloire à nouveau et refaites-la chauffer.

BŒUF Récupérez les feuilles de romarin, de sauge et de thym, hachez-les. Sous la poêle restée vide, passez à feu très vif. Mélangez les herbes entre elles, puis dispersez-les sur la planche à découper avec une bonne pincée de sel & poivre. Coupez le filet en moitié dans le sens de la longueur. Roulez chacune sur la planche pour les enrober d'herbes mélangées. Déposez la viande dans la poêle brûlante avec un peu d'huile d'olive. Pensez à la retourner pendant que vous passez à d'autres tâches. N'oubliez pas de saisir aussi les extrémités de chaque morceau de viande.

CAROTTES Placez les carottes dans la casserole et couvrez-les d'eau bouillante. Ajoutez 2 brins de thym, 2 feuilles de laurier, une bonne pincée de sel, un trait d'huile d'olive et 1 cuillère à soupe bombée de sucre en poudre. Faites cuire avec un couvercle jusqu'à ce qu'elles soient tendres.

PUDDINGS Assemblez la farine, le lait et l'œuf dans le mixer avec une pincée de sel et mixez bien. Sortez la plaque à mini-muffins du four. Versez un peu d'huile d'olive dans chaque alvéole puis remplissez-les à moitié de pâte (gardez le reste de pâte pour faire des pancakes, un autre jour). Glissez la plaque dans le haut du four, refermez-le et laissez cuire sans rouvrir pendant 14 minutes, le temps que les puddings soient bien gonflés et dorés.

POMMES DE TERRE Assurez-vous que les pommes de terre sont cuites, puis égouttez-les. Remettez-les dans la même poêle. Faites cuire à feu vif avec un peu d'huile

d'olive. Ajoutez une pincée de sel & poivre et aussi quelques zestes de citron prélevés à l'économe, 4 brins de thym ou de romarin. Coupez la tête d'ail en deux dans la largeur, écrasez sommairement chaque moitié avec le plat de la lame d'un gros couteau et ajoutez dans la poêle. Mélangez le tout, puis écrasez sommairement toute la préparation avec un pilon à purée. Remuez toutes les 3 minutes environ, le temps que les pommes de terre colorent bien.

JUS Réduisez un peu l'intensité du feu sous le bœuf. Pelez le ½ oignon rouge et mixez-le. Ajoutez la moitié de ce ½ oignon au bœuf avec un trait d'huile d'olive. Mettez le reste de l'oignon dans un saladier. Rincez les champignons dans une passoire, puis mixez-les. Ajoutez-les au bœuf, mélangez bien le tout et n'oubliez pas de retourner le bœuf toutes les 5 minutes.

SALADE Ajoutez 2 cuillères à soupe de vinaigre de vin rouge, 1 cuillère à soupe de sucre roux, une bonne pincée de sel & poivre dans le saladier contenant les oignons rouges finement coupés. Mélangez à la main. Ajoutez 4 cuillères à soupe d'huile d'olive extra-vierge. Déposez le cresson par-dessus et portez à table. Ne mélangez qu'au tout dernier moment, juste avant de servir.

JUS Sortez le bœuf de la poêle et mettez-le dans un plat. Arrosez-le de quelques gouttes d'huile d'olive et couvrez de papier d'aluminium. Déposez 1 cuillère à soupe bombée de farine dans la poêle, versez un petit verre de vin rouge, et passez à feu vif. Faites bouillir et laissez évaporer presque tout le liquide, puis ajoutez 30 cl de bouillon de volaille et laissez cuire pour obtenir une sauce épaisse et brillante.

POUR SERVIR Égouttez les carottes, remettez-les dans leur poêle avec la noix de beurre et portez à table. Présentez les pommes de terre sur un plat. Étalez 2 cuillères à soupe de sauce au raifort et 1 cuillère à café de moutarde anglaise dans un plat. Coupez le bœuf en tranches de 1 cm d'épaisseur, salez-le et poivrez-le de haut, puis déposez les tranches sur la sauce au raifort et la moutarde anglaise. Ajoutez les restes de jus à celui déjà obtenu et présentez dans une petite carafe. Mélangez la salade de cresson, sortez les puddings du four, portez-les à table avec une bouteille de vin rouge.

SANDWICH AU STEAK

POMMES DE TERRE NOUVELLES CROUSTILLANTES

CHAMPIGNONS AU FROMAGE

SALADE DE BETTERAVES

POMMES DE TERRE

500 g de pommes de terre nouvelles
6 gousses d'ail
quelques brins de romarin frais
½ citron

CHAMPIGNONS

4 très gros champignons de Paris
2 gousses d'ail
½ piment rouge frais
2 brins de persil plat frais
½ citron
70 g de cheddar bien fait

SALADE DE BETTERAVES

250 g de betteraves cuites sous vide
vinaigre balsamique
½ citron
une botte de persil plat frais
50 g de feta

SANDWICH

2 x 300 g de bon rumsteak
2 brins de thym frais
1 pain ciabatta
une petite poignée de poivrons
  en bocal

quelques brins de persil plat frais
sauce au raifort, pour le service
une belle poignée de roquette lavée

ASSAISONNEMENT

huile d'olive
huile d'olive extra-vierge
sel de mer & poivre noir

POUR COMMENCER Faites chauffer un gril à feu moyen et une grande poêle à feu vif. Mettez à chauffer le gril du four au maximum. Remplissez et faites chauffer la bouilloire. Installez le disque à râpe épaisse dans le robot.

POMMES DE TERRE Coupez en deux les pommes de terre trop grosses, puis mettez-les toutes dans la grande poêle avec une belle pincée de sel. Écrasez 6 gousses d'ail avec la paume de la main et ajoutez-les aux pommes de terre. Versez ensuite juste assez d'eau bouillie pour recouvrir les légumes, puis laissez cuire pendant 12 ou 15 minutes, ou le temps nécessaire à une cuisson complète.

CHAMPIGNONS Étalez les champignons, côté queue vers le haut, sur la planche à découper. Coupez les extrémités des champignons puis disposez-les, de la même manière, dans un petit plat allant au four. Prenez un petit plat pour que les champignons soient bien serrés. Écrasez ½ gousse d'ail non épluchée et déposez sur chaque champignon. Hachez finement ½ piment rouge et 2 brins de persil plat, répartissez sur les champignons. Râpez par-dessus le zeste de ½ citron, arrosez de quelques gouttes d'huile d'olive, assaisonnez. Coupez le cheddar en quatre morceaux, puis déposez-les sur les champignons.

SALADE DE BETTERAVES Râpez les betteraves avec le robot. Ôtez le disque à râper. Versez dans le bol quelques lampées d'huile d'olive extra-vierge, un trait de vinaigre balsamique et le jus de ½ citron. Hachez la botte de persil plat et ajoutez-la presque entièrement aux betteraves. Mélangez et présentez la salade dans un joli saladier. Décorez avec le reste du persil plat haché. Émiettez par-dessus la feta. Arrosez d'huile d'olive extra-vierge et portez à table.

CHAMPIGNONS Enfournez les champignons dans le haut du four, laissez cuire 9 à 10 minutes, ou le temps nécessaire pour obtenir une belle couleur dorée.

SANDWICH Mettez les steaks sur la planche à découper. Saupoudrez-les de sel & poivre, de feuilles de thym et arrosez d'un peu d'huile d'olive. Faites pénétrer tous ces aromates dans la viande en frottant avec vos mains. Retournez les steaks et répétez l'opération. Tapez les steaks une ou deux fois avec votre poing pour les aplatir un peu. Posez-les ensuite sur le gril brûlant et laissez cuire 1 à 2 minutes de chaque côté pour une cuisson « saignante ». Prolongez un peu plus la cuisson, si tel est votre goût. Le temps dépend aussi de l'épaisseur des steaks, alors faites-vous confiance pour réussir la juste cuisson. Lavez-vous les mains.

POMMES DE TERRE Vérifiez la cuisson des pommes de terre, puis égouttez-les dans une passoire. Reposez la poêle sur un feu vif, versez un bon trait d'huile d'olive et mettez les pommes de terre égouttées et l'ail avec. Avec un pilon, écrasez légèrement les pommes de terre. Ajoutez quelques brins de romarin frais et une pincée de sel. Mélangez et laissez cuire encore quelques minutes pour obtenir une belle couleur dorée.

SANDWICH Placez le pain ciabatta en bas du four. Hachez finement les poivrons sur une grande planche à découper propre. Déposez les steaks sur la planche, arrosez-les de quelques gouttes d'huile d'olive extra-vierge. Hachez aussi quelques brins de persil plat et mélangez-les avec les poivrons et le jus des steaks. Repoussez les poivrons hachés vers un coin de la planche, puis découpez les steaks en tranches en donnant un peu d'angle au couteau.

CHAMPIGNONS Sortez les champignons du four et éteignez-le. Portez-les à table immédiatement.

SANDWICH Sortez la ciabatta du four et ouvrez-la avec un couteau à dents. Arrosez d'un peu d'huile d'olive extra-vierge, étalez dedans autant de sauce au raifort que vous voulez, puis déposez les feuilles de roquette. Posez les tranches de viande par-dessus. Ajoutez les poivrons hachés et le jus de viande, refermez le pain et portez à table.

POMMES DE TERRE Présentez les pommes de terre dans un plat, proposez ½ citron à côté et portez à table.

ENTRECÔTE SAUTÉE

NOUILLES DAN DAN

THÉ GLACÉ À L'HIBISCUS

ENTRECÔTES
2 belles entrecôtes de 250 g,
la meilleure qualité possible
1 cuillère à café bombée de poivre
du Sichuan
mélange cinq-épices chinois
un morceau de 2 cm de gingembre frais
½ piment frais
1 gousse d'ail
1 citron vert
quelques brins de coriandre fraîche

LÉGUMES
150 g de pois gourmands
2 pak-choï
200 g de brocolis

1 cuillère bombée de sauce
aux haricots noirs
1 citron vert ou 1 citron

NOUILLES DAN DAN
6 cuillères à soupe d'huile de piment
4 cuillères à soupe de sauce de soja
1 gousse d'ail
200 g de germes de soja
½ botte de coriandre fraîche
8 oignons nouveaux
400 g de nouilles sèches aux œufs
(un nid par personne)
1 cube de bouillon de bœuf bio
½ citron
miel liquide

un trait de jus de citron vert

ASSAISONNEMENT
huile d'olive
huile d'olive extra-vierge
sel de mer & poivre noir

THÉ À L'HIBISCUS
2-3 sachets de thé à l'hibiscus,
à la menthe ou au jasmin
1 clémentine
1 citron vert
1 cuillère à dessert bombée de sucre
en poudre
quelques poignées de glaçons
quelques tiges de menthe fraîche

POUR COMMENCER Préparez tous vos ingrédients et vos ustensiles. Remplissez et faites chauffer la bouilloire. Faites chauffer un gril à feu vif et une grande casserole à feu doux. Préparez 4 bols de service.

ENTRECÔTES Déposez les entrecôtes sur la planche à découper, salez et poivrez-les de haut. Pilez le poivre du Sichuan avec le pilon dans le mortier. Déposez-en une petite pincée dans chacun des bols de service, puis saupoudrez le reste, avec une belle pincée de mélange cinq-épices, sur la viande. Arrosez la viande et la planche d'un peu d'huile d'olive, puis promenez les morceaux de viande sur la planche pour récupérer toutes les épices qui y sont tombées.

NOUILLES DAN DAN Versez l'eau bouillie dans la grande casserole. Couvrez, passez à feu vif. Remplissez à nouveau la bouilloire et mettez-la à chauffer. Répartissez 1½ à 2 cuillères à soupe d'huile de piment et 1 cuillère à soupe de sauce de soja dans chaque bol de service. Écrasez 1 gousse d'ail non pelée et répartissez la pulpe obtenue dans les bols.

THÉ À L'HIBISCUS Mettez les sachets de thé dans une grande carafe. Prélevez le zeste de la clémentine et du citron vert avec un économe. Mettez ces zestes avec le sucre en poudre dans la carafe. Remplissez à moitié d'eau bouillie et laissez infuser.

ENTRECÔTES Déposez la viande sur le gril brûlant et laissez cuire pendant 2 minutes, de chaque côté, pour une cuisson saignante, ou un peu plus, à votre convenance. Utilisez des pinces pour retourner la viande pendant que vous faites d'autres tâches.

NOUILLES DAN DAN Préparez les garnitures. Présentez les germes de soja et la coriandre dans un bol et portez-les à table.

LÉGUMES Assaisonnez l'eau de cuisson d'une pincée de sel et plongez les pois gourmands dans le liquide bouillant. Retournez la planche à découper et coupez les pak-choï en deux. Éliminez l'extrémité du brocoli et coupez-le en deux dans le sens de la longueur. Plongez le brocoli et les pak-choï dans l'eau avec les pois gourmands. Couvrez.

NOUILLES DAN DAN Épluchez bien, puis coupez finement les oignons nouveaux. Répartissez-les dans les bols de service. (N'oubliez pas de vérifier les entrecôtes : elles doivent être parfaites, maintenant.)

ENTRECÔTES Prenez une planche propre. Arrosez-la d'un peu d'huile d'olive et déposez la viande dessus. Sortez le gril du feu. Pelez le gingembre et râpez-le finement, avec le piment et l'ail. Répartissez sur la viande, pour donner un peu de saveur. Arrosez aussi de jus de citron vert.

LÉGUMES Déposez une cuillère à dessert bombée de sauce aux haricots noirs au milieu d'un plat de service et étalez-la. Pressez par-dessus le jus du citron vert ou du citron et arrosez d'un trait d'huile d'olive. Avec une écumoire et des pinces, récupérez les légumes. Laissez-les s'égoutter 1 minute environ, puis déposez-les sur le plat recouvert de sauce aux haricots noirs. Arrosez d'un peu d'huile d'olive extra-vierge, portez à table et mélangez au tout dernier moment.

THÉ À L'HIBISCUS Sortez les sachets de thé. Ajoutez quelques belles poignées de glaçons, coupez la clémentine et le citron vert en deux, puis pressez-les sur les glaçons. Enfin, ajoutez les demi-citrons verts pressés dans la carafe avec les tiges de menthe.

NOUILLES DAN DAN Faites cuire les nids de nouilles dans la casserole ayant servi à cuire les légumes en ajoutant le cube de bouillon de bœuf. Versez quelques gouttes de jus de citron et un soupçon de miel dans les bols de service.

ENTRECÔTES Coupez les steaks en tranches de 1 cm, en donnant un peu d'angle au couteau. Mélangez, avec les savoureux jus de cuisson, directement sur la planche. Décorez avec la coriandre et portez à table.

NOUILLES DAN DAN Avec des pinces, répartissez les nouilles dans les bols de service. Versez-y un peu de bouillon et portez à table. Laissez les convives mélanger eux-mêmes leurs nouilles dans les bols et les agrémenter de germes de soja, de coriandre, de légumes, de tranches d'entrecôte et de quelques gouttes de jus de citron vert.

POÊLÉE DE BŒUF HACHÉ EXPRESS

POMMES DE TERRE EN ROBE DES CHAMPS

DIVINE SALADE

HARICOTS BEURRE & POITRINE FUMÉE

POUR 4 PERSONNES

POMMES DE TERRE

4 grosses pommes de terre
 à cuire au four
2 brins de romarin frais
4 cuillères à café de crème aigre
 (ou de crème épaisse)

POÊLÉE

500 g de viande de bœuf hachée
 de bonne qualité
2 brins de thym frais
1 oignon rouge
2 carottes
3 branches de céleri

quelques brins de romarin frais
4 gousses d'ail
6 cuillères à soupe de sauce
 Worcestershire
un petit bouquet de persil plat

HARICOTS

4 tranches de poitrine fumée
2 tomates
400 g de haricots en boîte
 (type tarbais)
vinaigre de vin rouge
les feuilles de 2 ou 3 brins de basilic
 grec ou de basilic simple

SALADE

1 petite laitue
1 poignée de cresson propre
1 avocat
1 cuillère à soupe bombée de crème
 aigre (ou de crème épaisse)
1 citron

ASSAISONNEMENT

huile d'olive
huile d'olive extra-vierge
sel de mer & poivre noir

POUR COMMENCER Préparez tous vos ingrédients et vos ustensiles près de vous. Faites chauffer le gril du four à pleine puissance et installez dessous une plaque pour qu'elle soit bouillante. Faites chauffer une grande poêle sur un feu moyen, et une autre à feu doux. Installez le disque à émincer fin dans le robot.

POMMES DE TERRE Lavez les patates, éliminez les yeux et les parties noires. Piquez-les plusieurs fois avec un couteau, puis regroupez-les dans un grand saladier passant au four micro-ondes. Recouvrez ensuite de deux couches de film alimentaire. Faites cuire dans le four micro-ondes pendant 14 à 16 minutes, ou pour qu'elles soient parfaitement cuites.

POÊLÉE Mettez la viande dans la plus grande des poêles et émiettez-la avec une cuillère en bois. Ajoutez 1 cuillère à café de sel, une autre de poivre et arrosez le tout d'un peu d'huile d'olive. Ajoutez aussi les feuilles de thym, laissez cuire et dorer en mélangeant souvent.

HARICOTS Mettez un peu d'huile d'olive dans la seconde poêle posée sur feu doux. Coupez finement la poitrine fumée et mettez-la dans la poêle. Mélangez de temps en temps, puis sortez du feu quand la poitrine est bien dorée.

POÊLÉE Pelez et coupez l'oignon rouge en deux. Lavez et pelez les carottes et les branches de céleri, puis émincez finement le tout avec le robot. Mettez de côté. Quand la viande hachée est bien dorée, récupérez les feuilles de romarin et ajoutez-les. Écrasez 4 gousses d'ail non pelées, ajoutez-les aussi avec 6 cuillères à soupe de sauce Worcestershire. Mélangez, laissez cuire pour que le jus se concentre bien, ajoutez ensuite les légumes coupés et mélangez encore. Passez à feu moyen et n'oubliez pas de remuer souvent.

POMMES DE TERRE Piquez les pommes de terre avec un couteau pour voir si elles sont parfaitement cuites.

Prélevez les feuilles du romarin, hachez-les finement, ajoutez aux pommes de terre avec une pincée de sel & poivre, et quelques gouttes d'huile d'olive. Mélangez bien pour enrober les pommes de terre de saveurs, puis déposez-les avec des pinces sur la plaque brûlante et enfournez-les pour qu'elles dorent bien.

HARICOTS Posez la poêle et la poitrine sur un feu vif. Hachez grossièrement les tomates et ajoutez à la poitrine avec les haricots en boîte et leur jus. Laissez cuire et mijoter doucement.

SALADE Séparez, lavez et essorez les feuilles de la laitue. Placez-les dans un saladier avec le cresson. Coupez l'avocat en deux et dénoyautez-le, prélevez la chair des deux moitiés avec une cuillère, mettez dans le saladier. Mixez la crème aigre avec le reste de chair d'avocat, le jus de 1 citron, 4 cuillères à soupe d'huile d'olive extra-vierge, une pincée de sel & poivre. Si la sauce est trop épaisse, ajoutez un trait ou deux d'eau pour obtenir une consistance plus crémeuse.

POÊLÉE Coupez finement le persil. Incorporez-le presque en totalité dans la viande, gardez juste quelques feuilles pour le décor. Goûtez, corrigez un peu l'assaisonnement si besoin, puis transférez la poêlée dans un plat de service.

POMMES DE TERRE Sortez les pommes de terre du four. Avec un couteau, incisez-les d'une croix, puis pincez-les pour les ouvrir un peu. Disposez-les sur la poêlée. Déposez sur chaque pomme de terre 1 cuillère à soupe de crème et décorez avec le persil restant. Portez à table.

HARICOTS Ajoutez aux haricots un peu d'huile d'olive extra-vierge et un trait de vinaigre, assaisonnez. Parsemez avec des feuilles de basilic (grec ou non) et portez à table.

SALADE Mélangez la salade avec la sauce à l'avocat et régalez-vous !

STEAK
À L'INDIENNE

SALADE D'ÉPINARDS
& DE PANEER

NAANS
DESSERT À LA MANGUE

STEAKS

¼ d'une boîte de 283 g de pâte
   jalfrezi (de la marque Patak's)
½ citron
3 x 300 g de rumsteak
   de bonne qualité
quelques brins de coriandre fraîche

DIP AU YAOURT

250 g de yaourt nature
quelques brins de menthe fraîche
½ citron

NAANS

2 naans

SALADE D'ÉPINARDS & DE PANEER

200 g de pousses d'épinards
   prêtes à l'emploi
une petite botte de coriandre fraîche
1 barquette de germes d'alfalfa
1 barquette de germes de cresson
1 belle carotte
200 g de paneer
3 cuillères à soupe de graines
   de sésame
1 citron

SAUCE AU CURRY

¼ d'une boîte de 283 g de pâte
   jalfrezi (marque Patak's)
la moitié d'une boîte de 40 cl de lait
   de coco

ASSAISONNEMENT

huile d'olive
huile d'olive extra-vierge
sel de mer & poivre noir

DESSERT À LA MANGUE

2 mangues mûres
1 cuillère à café bombée de sucre glace
quelques brins de menthe fraîche
1 citron vert

POUR COMMENCER Préparez tous vos ingrédients et vos ustensiles. Faites chauffer un gril à feu vif et faites chauffer le four à 180 °C (th. 6).

STEAKS Dans un plat, mélangez le ¼ du pot de pâte jalfrezi avec le jus de ½ citron, un bon trait d'huile d'olive et une belle pincée de sel & poivre. Posez les steaks et enrobez-les complètement de ce mélange avant de les mettre de côté et de vous laver les mains.

DIP AU YAOURT Mettez le yaourt dans un bol. Coupez finement les petites feuilles de la menthe, ajoutez-les au yaourt avec quelques gouttes d'huile d'olive extra-vierge, le jus de ½ citron et une belle pincée de sel. Apportez à table et ne mélangez qu'au tout dernier moment.

SALADE D'ÉPINARDS & DE PANEER Présentez les pousses d'épinards dans un plat. Déposez par-dessus presque toutes les feuilles de coriandre déchirées. Ajoutez l'alfalfa et les germes de cresson. Avec un économe, découpez de longs rubans de carotte et placez-les sur le haut de la salade.

NAANS Huilez un morceau de papier sulfurisé. Enveloppez-y les naans, puis enfournez pour bien les réchauffer à cœur.

STEAKS Avec des pinces, déposez les steaks sur le gril brûlant. Laissez-les cuire 6 minutes en tout, en les retournant toutes les minutes, pour une cuisson « saignante » ; 8 minutes si vous les aimez « à point » et 10 minutes pour qu'ils soient « bien cuits ». Fiez-vous à votre instinct pour obtenir la cuisson que vous aimez. Déposez la viande cuite à votre goût sur la planche. Faites chauffer une petite poêle à feu moyen.

SAUCE AU CURRY Faites chauffer une petite casserole à feu moyen. Ajoutez le ¼ du pot de pâte jalfrezi et la moitié de celui de lait de coco. Mélangez bien, portez à ébullition et laissez épaissir.

SALADE D'ÉPINARDS & DE PANEER Coupez le paneer en petites bouchées, puis faites-les sauter dans la petite poêle avec un peu d'huile d'olive. Pensez à vérifier la cuisson des steaks.

SAUCE AU CURRY Quand la sauce atteint une bonne consistance, passez sur feu doux ou sortez du feu. Vérifiez à nouveau la cuisson de la viande.

SALADE D'ÉPINARDS & DE PANEER Retournez les morceaux de paneer qui doivent être bien colorés. Ajoutez une bonne pincée de sel et 3 cuillères à soupe de graines de sésame. Passez sur feu doux si vous trouvez que la cuisson est un peu trop rapide.

DESSERT À LA MANGUE Coupez les deux mangues le long du noyau. Incisez ensuite les demi-mangues, côté chair, en formant un motif croisé de 2 cm de profondeur, sans couper la peau. Appuyez sur la peau, par en dessous, pour que les demi-mangues se bombent. Pelez la chair autour des noyaux coupez-la en morceaux ou dégustez-la comme ça, à votre goût. (📹)

Présentez bien les mangues en hérisson sur un plat, puis à l'aide d'une petite passoire, saupoudrez-les de sucre glace. Parsemez de quelques feuilles de menthe finement coupées. Coupez le citron vert en quartiers, disposez près des mangues et portez à table.

STEAKS Si ce n'est pas encore fait, sortez les steaks du feu. Posez-les sur la planche à découper et arrosez-les de quelques gouttes d'huile d'olive extra-vierge.

SALADE D'ÉPINARDS & DE PANEER Disposez le paneer tout autour de la salade, et coupez le citron en quartiers à presser sur la salade, au dernier moment. Portez à table.

POUR SERVIR Coupez la viande en tranches en donnant un peu d'angle au couteau, mélangez-la avec son jus de cuisson et le peu d'huile d'olive restée sur la planche. Parsemez-la de feuilles de coriandre. Versez la sauce au curry bien chaude dans un bol, portez-la à table avec les naans chauds et les tranches de steaks.

BOULETTES DE VIANDE EN SANDWICH

CHOU FAÇON PICKLE

SALADE HACHÉE

GLACE À LA BANANE

POUR 4 À 6 PERSONNES

BOULETTES DE VIANDE EN SANDWICH

une petite poignée de basilic frais
500 g de viande hachée de bonne qualité
1 cuillère à soupe de moutarde
   à l'ancienne
½ citron
1 œuf
8 tranches de pancetta fumée
2 pains ciabatta
4 tranches de fromage jarlsberg
   (ou d'emmenthal)

CHOU FAÇON PICKLE

½ chou rouge
1 oignon rouge
une petite botte de menthe fraîche
1 piment rouge frais
2 citrons

SALADE HACHÉE

½ concombre
2 tomates
2 avocats
une poignée de feuilles
   de basilic frais
110 g de salade mélangée
   prête à l'emploi
1 cuillère à café de moutarde anglaise
1½ cuillère à soupe de vinaigre
   de vin rouge
50 g de feta

ASSAISONNEMENT

huile d'olive
huile d'olive extra-vierge
sel de mer & poivre noir

GLACE

6 bananes, environ (900 g environ),
   pelées, coupées en tranches,
   mises dans une poche adaptée
   et entreposées 6 heures, au moins,
   dans le congélateur.
250 g de yaourt nature
1 cuillère à soupe de miel liquide
2-3 poignées de noix de coco
   en poudre, pour enrober
8 biscuits croustillants

POUR SERVIR

bière fraîche

À NOTER : Assurez-vous d'avoir bien surgelé vos bananes à l'avance (au moins 6 bonnes heures avant). Pelez-les, coupez-les en tranches mettez-les dans une poche pour congélation, puis dans le congélateur. Voici une bonne manière de mettre les fruits à l'abri, quand ils commencent à être trop mûrs.

POUR COMMENCER Préparez tous vos ingrédients et vos ustensiles. Faites chauffer le four à 160 °C (th. 5). Sortez les bananes du congélateur. Faites chauffer une grande poêle allant au four sur un feu moyen. Installez le disque à émincer fin dans le robot. Préparez 4 verres à cocktail et assurez-vous d'avoir assez de place dans le congélateur pour pouvoir les mettre.

BOULETTES DE VIANDE EN SANDWICH Hachez grossièrement le basilic et mettez-le dans un saladier avec la viande, la moutarde à l'ancienne, une pincée de sel & poivre et le zeste de ½ citron. Cassez l'œuf, séparez le blanc du jaune et ajoutez le jaune à la viande avec 1 cuillère à soupe d'huile d'olive. Huilez légèrement la poêle allant au four, puis mélangez franchement et fermement la viande et ses aromates avec les mains propres. Divisez cette préparation en quatre, puis à nouveau en quatre. Travaillez rapidement avec vos mains pour former des boulettes (mouillez un peu vos mains, ce sera plus facile). Placez les boulettes dans la poêle allant au four, puis lavez-vous les mains. Faites cuire les boulettes 12 à 14 minutes, ou le temps nécessaires pour qu'elles soient bien dorées. Remuez-les en cours de cuisson.

CHOU FAÇON PICKLE Éliminez la base du ½ chou rouge ainsi que les feuilles extérieures, puis détaillez-le en 4 quartiers. Émincez finement ces quartiers avec le robot. Pelez l'oignon, coupez-le en deux et émincez-le finement avec le robot, tout comme le sommet de la botte de menthe et le piment débarrassé de sa tige.

BOULETTES DE VIANDE EN SANDWICH Disposez les tranches de pancetta autour des boulettes, enfournez avec les pains ciabatta sur la plaque en-dessous.

CHOU FAÇON PICKLE Placez les légumes émincés dans un grand saladier avec un joli trait d'huile d'olive extra-vierge. Arrosez le tout avec le jus de citron et ajoutez une bonne pincée de sel. Mélangez.

SALADE HACHÉE Pour cette étape, j'aime bien utiliser 2 couteaux, mais faites comme vous vous sentez le plus à l'aise. Hachez grossièrement le concombre et les tomates sur une grande planche à découper. Coupez les avocats en deux, éliminez les noyaux. Avec une cuillère à soupe, récupérez les chairs. Mettez-les avec le concombre et les tomates, hachez de nouveau. Ajoutez les feuilles de basilic et continuez de hacher. Déposez le mélange de salade sur les légumes hachés et faites une fontaine, au centre. Ajoutez alors 1 cuillère à café de moutarde anglaise, une pincée de sel, 5 cuillères à café d'huile d'olive extra-vierge, et 1½ cuillère à soupe de vinaigre de vin rouge. Hachez encore un peu et mélangez le tout. Présentez sur la planche. Ajoutez un peu plus d'huile d'olive si besoin, parsemez de feta émiettée.

GLACE Lavez le bol du robot à l'eau froide, puis équipez-le de sa lame standard. Mixez les bananes surgelées avec le yaourt et le miel jusqu'à obtenir une préparation assez épaisse et crémeuse. Répartissez la poudre de coco dans un grand plat, prenez 1 cuillère à dessert de glace à la banane puis enrobez-la de coco. Faites ainsi pour chaque cuillère de glace. Placez les boules de glace enrobées dans les verres à cocktail, au fur et à mesure. Quand toute la glace est transformée en boules enrobées de coco, mettez les verres dans le congélateur : le dessert est prêt.

BOULETTES DE VIANDE EN SANDWICH Sortez les boulettes de viande et les pains ciabatta du four. Ouvrez les pains ciabatta, arrosez légèrement l'intérieur d'huile d'olive extra-vierge. Mettez deux tranches de fromage jarlsberg par pain, répartissez un peu de chou par-dessus, puis déposez les boulettes de viande et la pancetta croustillante.

POUR SERVIR Apportez les sandwiches aux boulettes de viande à table avec la salade hachée. Refermez les sandwiches, coupez-les en deux et à l'attaque ! Au moment de passer au dessert, sortez les verres de glace à la banane du congélateur et dégustez-la avec les biscuits croustillants.

FOIE DE VEAU & POITRINE FUMÉE

JUS AUX OIGNONS

ÉCRASÉE DE POMMES DE TERRE

LÉGUMES VERTS ASSAISONNÉS

DESSERT AUX MYRTILLES

POUR 4 PERSONNES

POMMES DE TERRE

500 g de pommes de terre roseval
1 citron

JUS

2 oignons rouges
quelques brins de romarin frais
1 cuillère à café de miel liquide
2 gousses d'ail
1 cuillère à soupe bombée de farine
1 verre de vin rouge
3 cuillères à soupe de vinaigre
    balsamique
1 cube de bouillon de bœuf bio

FOIE

8 tranches de poitrine fumée
300 g de foie de veau
farine
4 brins de romarin frais

LÉGUMES VERTS

200 g de blettes ou d'un autre légume
    de saison
½ citron

ASSAISONNEMENT

huile d'olive
huile d'olive extra-vierge
sel de mer & poivre noir

DESSERT AUX MYRTILLES

350 g de groseilles à maquereau,
    de pêches ou de poires au sirop
150 g de myrtilles, de cassis ou
    d'autres belles baies fraîches
3 ou 4 cuillères à soupe de sirop
    de sureau
425 g de crème anglaise épaisse
    de bonne qualité
150 g de yaourt grec
1 cuillère à café d'extrait de vanille
    ou de pâte de vanille
quelques biscuits « shortbread »,
    pour le service

POUR COMMENCER Préparez tous vos ingrédients et vos ustensiles. Remplissez et faites chauffer la bouilloire. Faites chauffer, à feu moyen, un cuit-vapeur à trois niveaux et 2 grandes poêles. Installez le disque à émincer fin dans le robot.

PURÉE Lavez les pommes de terre sans les peler, mais ôtez les yeux et les éventuelles parties noires. Coupez-les en morceaux de 3 cm. Remplissez le cuit-vapeur d'eau bouillie, ajoutez une pincée de sel, les pommes de terre, puis couvrez.

DESSERT AUX MYRTILLES Versez le sirop de la boîte de groseilles à maquereaux dans une grande casserole sur feu vif et portez à ébullition.

JUS Pelez les oignons rouges, coupez-les en deux puis émincez-les dans le robot. Mettez-les dans l'une des poêles chaudes avec un peu d'huile d'olive, mélangez. Prélevez et hachez finement les feuilles de romarin, ajoutez-les aux oignons avec la cuillère à café de miel. Ajoutez 2 gousses d'ail pelées et écrasées. Mélangez de temps en temps, pendant que vous vous occupez du reste du repas.

FOIE Déposez les tranches de poitrine dans l'autre poêle avec un trait d'huile d'olive. Faites-les dorer des deux côtés, en les retournant de temps en temps. Sortez la poêle du feu, placez les tranches de poitrine sur une assiette.

DESSERT AUX MYRTILLES Ajoutez dans la poêle où bouillonne le jus les groseilles à maquereaux et les baies fraîches, puis laissez cuire et épaissir.

LÉGUMES VERTS Lavez bien les blettes. Coupez finement les tiges et placez-les dans le panier de cuisson du bas. Coupez grossièrement les plus grosses feuilles et mettez-les dans le panier de cuisson du haut. Mettez aussi les pommes de terre en haut, et placez le couvercle. Remplissez et faites chauffer la bouilloire.

JUS Ajoutez aux oignons la cuillère à soupe bombée de farine. Versez le verre de vin rouge. Laissez cuire, ajoutez 3 cuillères à soupe de vinaigre balsamique et mélangez. Ajoutez le cube de bouillon de bœuf bio et 30 cl d'eau bouillie. Mélangez puis laissez mijoter jusqu'à obtenir une bonne consistance.

DESSERT AUX MYRTILLES À ce stade, les fruits doivent être cuits et avoir pris une belle consistance de confiture. Coupez le feu et ajoutez les 3 ou 4 cuillères à soupe de sirop de sureau (à votre goût). Placez la crème anglaise dans un bol de service. Disposez au milieu les fruits cuits avec leur sirop de cuisson. Répartissez le yaourt par-dessus, puis l'extrait ou la pâte de vanille. Mélangez une ou deux fois, pour créer un bel effet marbré. Portez à table avec les biscuits shortbread.

FOIE Refaites chauffer la poêle ayant servi à faire cuire la poitrine. Déposez le foie sur du papier sulfurisé. Salez, poivrez des deux côtés et farinez délicatement. Passez sur feu vif sous la poêle et déposez-y le foie avec un trait d'huile d'olive. Ne soyez pas tenté de le retourner. Laissez cuire 3 minutes.

PURÉE Assurez-vous que les pommes de terre sont cuites puis écrasez-les avec un vrai bon trait d'huile d'olive extra-vierge, une belle pincée de sel & poivre et un peu de zeste de citron râpé. Présentez dans un grand plat de service.

FOIE Retournez le foie, ajoutez les brins de romarin frais et les tranches de poitrine. Laissez cuire 2 minutes de plus, puis déposez sur les pommes de terre et portez à table.

LÉGUMES VERTS Mettez les blettes sur un plat de service, arrosez d'un peu d'huile d'olive extra-vierge et du jus de ½ citron pressé. Ajoutez une pincée de sel & poivre, portez à table.

POUR SERVIR Versez le jus dans une carafe : vous êtes prêt à passer à table.

FOCACCIA FARCIE

PROSCIUTTO

CÉLERI RÉMOULADE

MOZZARELLA AU PESTO

GRANITÉ DE CITRON & CITRON VERT

POUR 4 À 6 PERSONNES

FOCACCIA

1 foccacia de 400 g
1 bocal de poivrons de 450 g
1 cuillère à café de câpres égouttées
6 tomates séchées à l'huile
une belle poignée d'olives variées,
    marinées à l'huile
    et de bonne qualité
1 piment rouge frais
une belle poignée de tomates cerise
3 ou 4 cornichons
une petite botte de menthe fraîche
½ citron
du parmesan, pour râper

RÉMOULADE & PROSCIUTTO

600 g de céleri boule
½ piment rouge frais
1 poire
une botte de persil plat frais
1 cuillère à café de moutarde de Dijon
1 cuillère à café de moutarde
    à l'ancienne
2 cuillères à soupe de vinaigre
    de vin blanc
2 barquettes de 125 g de bon
    prosciutto

MOZZARELLA & PESTO

2 boules de mozzarella de 125 g
100 g de pignons de pin
½ gousse d'ail
75 g de parmesan
une belle botte de basilic
facultatif : quelques tiges
    de basilic grec
½ citron
½ piment sec

ASSAISONNEMENT

huile d'olive extra-vierge
sel de mer & poivre noir

GRANITÉ

1 sachet de glaçons
3 ou 4 brins de menthe fraîche
1 citron
1 citron vert
1 cuillère à café d'extrait
    ou de pâte de vanille
3 cuillères à soupe bombées
    de sucre en poudre
1 pamplemousse rose
du yaourt nature, pour le service
une petite barquette de framboises,
    pour le service

POUR SERVIR

1 bouteille de vin rosé frais

POUR COMMENCER Préparez tous vos ingrédients et vos ustensiles. Faites chauffer le four à 150 °C (th. 5). Installez la lame standard dans le robot. Vérifiez que vous avez assez de place dans votre congélateur pour y mettre un plat.

GRANITÉ Remplissez à moitié le bol du robot avec des glaçons. Ajoutez les feuilles de 3 ou 4 brins de menthe. Ajoutez le zeste finement râpé de 1 citron, de 1 citron vert et 1 cuillère à café d'extrait ou de pâte de vanille. Mixez pour obtenir une sorte de neige. Pendant le mixage, ajoutez 3 cuillères à soupe bombées de sucre en poudre, le jus du citron et celui du citron vert. Quand la préparation ressemble à de la neige, transférez-la dans un plat et placez immédiatement au congélateur.

RÉMOULADE & PROSCIUTTO Rincez rapidement le bol du robot, remplacez la lame standard par le disque avec la râpe épaisse. Coupez en deux le céleri boule, pelez-le et coupez-le en quartiers. Épépinez ½ piment rouge, éliminez la tige et la base de la poire, coupez-la dans la longueur. Râpez le céleri, le ½ piment, la poire et une botte de persil plat. Placez tous les légumes râpés dans un saladier. Ajoutez 1 cuillère à café de moutarde de Dijon, 1 cuillère à café de moutarde à l'ancienne, 5 cuillères à soupe d'huile d'olive extra-vierge, 2 cuillères à soupe de vinaigre de vin blanc, une pincée de sel & poivre. Mélangez le tout délicatement avec vos mains, goûtez pour vérifier la saveur de l'ensemble et mettez de côté.

FOCCACIA Réchauffez la foccacia dans le four pendant 15 minutes. Préparez la garniture. Sur une planche à découper, déposez les poivrons en bocal, 1 cuillère à café de câpres, 6 tomates séchées à l'huile, une poignée d'olives variées de bonne qualité et marinées à l'huile, le piment rouge frais, une poignée de tomates cerise et, pour finir, 3 ou 4 cornichons. Prélevez les feuilles de la menthe, dénoyautez les olives. Coupez finement le piment, puis hachez et coupez tous les autres ingrédients de la garniture avant de les mettre dans un bol. Ajoutez un trait d'huile d'olive extra-vierge et le jus de ½ citron. Mélangez le tout avec vos mains.

Sortez la focaccia du four. Avec un couteau à dents, coupez-la délicatement dans la longueur et ouvrez-la comme un livre. Répartissez la garniture à l'intérieur, ajoutez les éventuels jus restants dans le bol. Râpez par-dessus une bonne couche de parmesan. Refermez la focaccia et portez-la à table.

RÉMOULADE & PROSCIUTTO Présentez le prosciutto sur une planche à découper rustique, déposez le céleri rémoulade au milieu, portez à table.

MOZZARELLA & PESTO Égouttez les boules de mozzarella et placez-les dans un bol. Rincez rapidement le bol du robot. Ôtez le disque à râper, remettez en place la lame standard. Mixez 100 g de pignons de pin, ½ gousse d'ail pelée, 75 g de parmesan et une belle botte de basilic avec 10 cl d'huile d'olive extra-vierge. Recouvrez les boules de mozzarella avec 2 cuillères à soupe de ce pesto. Mettez le reste dans un bocal, en vue d'un autre repas. Arrosez la mozzarella d'un peu d'huile d'olive extra-vierge, salez et poivrez. Mélangez délicatement, parsemez de quelques feuilles de basilic grec, si vous l'utilisez, ajoutez encore un peu d'huile d'olive extra-vierge. Pressez par-dessus le jus de ½ citron, râpez par-dessus un peu de parmesan et émiettez-y le piment sec. Placez les boules de mozzarella dans un plat et portez-les à table.

POUR SERVIR Répartissez la focaccia et la mozzarella entre les convives. Servez avec quelques tranches de prosciutto, de la rémoulade croquante et un verre de vin rosé bien frais.

GRANITÉ Au moment du dessert, sortez le granité du congélateur. Aérez la préparation à l'aide d'une fourchette et arrosez-la avec le jus du pamplemousse rose. Portez à table avec le yaourt nature et les framboises : un délice !

FILET DE PORC SAISI & SAUCISSE ROULÉE

SAUCE AUX CHAMPIGNONS & À LA VIANDE

ÉCRASÉE DE CÉLERI

HARICOTS VERTS À L'AIL

POUR 6 PERSONNES

PORC

1 filet de porc de 500 g
    de bonne qualité
1 ficelle de 400 g de chipolatas
    de bonne qualité
4 brins de romarin frais
2 petites pommes rouges
sucre roux

ÉCRASÉE

1 kg de céleri boule
quelques brins de thym frais
½ citron

SAUCE

4 tranches de bacon fumé
quelques brins de romarin frais
200 g de rognon de porc
8 champignons de Paris blancs
    ou rosés
facultatif : un filet de marsala
15 cl de crème liquide
1 cuillère à soupe de moutarde
    anglaise

HARICOTS

400 g de haricots verts

½ citron
1 gousse d'ail

ASSAISONNEMENT

huile d'olive
huile d'olive extra-vierge
sel de mer & poivre noir

POUR SERVIR

une bière artisanale
    de bonne qualité

POUR COMMENCER Préparez tous vos ingrédients et vos ustensiles. Faites chauffer le four à 220 °C (th. 7). Mettez votre plus grande poêle allant au four à chauffer à feu vif et une poêle moyenne sur feu moyen. Remplissez une bouilloire et faites-la chauffer.

PORC Fendez le porc en deux dans la longueur sans séparer les deux parties et ouvrez-le comme un livre (ou demandez à votre boucher de le faire). Arrosez-le d'huile d'olive, et d'une bonne pincée de sel & poivre, puis frottez-le pour qu'il soit bien enrobé. Lavez-vous les mains. Mettez-le dans la grande poêle allant au four. Retournez-le toutes les minutes, ou à peu près, durant environ 5 minutes, pendant que vous faites d'autres choses, afin qu'il soit bien doré de tous les côtés.

ÉCRASÉE Prenez une planche propre, puis pelez rapidement le céleri avec un couteau ou un économe et coupez-le en gros morceaux (🎥). Mettez-les dans un grand bol allant au micro-ondes avec une bonne pincée de sel & poivre. Effeuillez le thym dans le bol. Pressez dessus le jus de ½ citron. Ajoutez un petit filet d'eau bouillie avec le ½ citron, puis couvrez le bol avec une double couche de film alimentaire. Faites-le cuire au micro-ondes, à pleine puissance, environ 12 minutes ou jusqu'à ce que ce soit tendre. Lavez la planche et le couteau.

PORC Ajoutez un filet d'huile d'olive sur le filet si nécessaire. Baissez un peu le feu et continuez à le retourner pendant 2 minutes.

SAUCE Coupez finement les tranches de bacon et mettez-les dans la poêle vide avec un filet d'huile d'olive. Effeuillez dedans quelques brins de romarin. Coupez le rognon en deux en retirant les tendons blancs. Coupez en tranches fines les champignons et le rognon et ajoutez-les dans la poêle avec une généreuse pincée de poivre. Remuez bien.

PORC Roulez la ficelle de chipolatas à plat (comme sur la photo) et faites-la tenir avec des piques (🎥). Utilisez une pince pour transférer le filet dans un plat à rôtir, puis placez-le en haut du four 15 minutes, ou jusqu'à ce qu'il soit doré des deux côtés. Ajoutez un filet d'huile d'olive dans la poêle vide et posez la saucisse roulée dedans. Faites-la dorer des deux côtés puis laissez-la cuire pendant

que vous effeuillez le romarin dans la poêle. Retournez la saucisse. Coupez les pommes en deux, ajoutez-les dans la poêle et remuez pour qu'elles absorbent les sucs.

SAUCE Tenez précautionneusement la poêle et ajoutez un bon filet de marsala, si vous en utilisez. Laissez l'alcool s'évaporer pendant une minute ou flambez-le. Après trente secondes, ajoutez 15 cl de crème liquide et mélangez-y 1 cuillère à soupe de moutarde anglaise.

HARICOTS Mettez une petite casserole à chauffer à feu vif, remplissez-la aux trois quart d'eau bouillie et ajoutez une pincée de sel. Équeutez les haricots en coupant toutes les queues en même temps. Jetez-les dans l'eau, couvrez et laissez-les cuire 5 minutes, ou jusqu'à ce qu'ils soient assez tendres.

PORC Saupoudrez une pincée de sucre sur chaque pomme, puis placez la poêle au milieu du four et prolongez la cuisson de 10 minutes, pendant que vous finissez la préparation.

ÉCRASÉE Sortez le bol du micro-ondes, vérifiez que le céleri est cuit, et si oui, jetez le ½ citron et l'excès d'eau. Ajoutez une lampée d'huile d'olive extra-vierge, du sel & poivre. Écrasez pour obtenir une bonne consistance. Portez à table.

SAUCE Retournez aux champignons crémeux. Mélangez-y un peu d'eau de cuisson des haricots pour détendre la sauce si nécessaire, puis goûtez et rectifiez l'assaisonnement si besoin. Portez tout de suite à table.

HARICOTS Égouttez-les dans une passoire, puis versez-les dans un plat. Pressez dessus le jus de ½ citron et écrasez dessus une gousse d'ail non pelée. Arrosez-les d'huile d'olive extra-vierge de bonne qualité, salez et poivrez, puis mélangez et portez à table.

POUR SERVIR Mettez la saucisse roulée et le porc sur une planche en bois et portez-la à table avec le plat de haricots. Laissez reposer le porc une ou deux minutes pendant que tout le monde se sert, puis coupez-le en tranches fines et servez-le avec une bonne bière artisanale.

CÔTES DE PORC &
COUENNE CROUSTILLANTE

ÉCRASÉE DE POMMES DE TERRE

CHOU À LA MENTHE

PÊCHES À LA CRÈME ANGLAISE

POUR 4 PERSONNES

PORC

4 côtes de porc de 180 g de bonne
   qualité, avec la couenne
8 gousses d'ail
1 cuillère à café de graines de fenouil
une petite botte de sauge fraîche
du miel liquide, pour arroser

POMMES DE TERRE

700 g de pommes de terre Maris Piper
   (ou de pommes de terre à purée)
½ citron

1 cuillère à café bombée
   de moutarde à l'ancienne
une petite botte de persil plat frais

CHOU

1 petit chou de Milan
2 cuillères à café bombées de sauce
   à la menthe de bonne qualité

ASSAISONNEMENT

huile d'olive
huile d'olive extra-vierge
sel de mer & poivre noir

PÊCHES À LA CRÈME ANGLAISE

2 boîtes de 415 g de demi-pêches
   au sirop
1 bâton de cannelle
1 boîte de 425 g de crème anglaise
   de bonne qualité
4 biscuits shortbread
quelques brins de menthe
   fraîche

POUR COMMENCER Préparez tous vos ingrédients et vos ustensiles. Faites chauffer le four à 180 °C (th. 6). Remplissez et faites bouillir la bouilloire et faites chauffer une grande poêle à feu vif.

PORC Mettez les côtes de porc sur une planche à découper en plastique et retirez la couenne et une partie du gras. Coupez la couenne en tranches de 1 cm et posez-les dans la poêle, côté gras vers le bas, pour qu'elles deviennent croustillantes.

POMMES DE TERRE Lavez les pommes de terre et retirez les yeux s'il y en a. Coupez les grandes en deux, piquez celles qui sont entières et mettez-les dans un grand plat de service allant au micro-ondes. Ajoutez ½ citron et une bonne pincée de sel & poivre. Couvrez avec une double couche de film alimentaire et faites cuire au micro-ondes environ 17 minutes, à pleine puissance, ou jusqu'à ce que les pommes de terre soient bien cuites.

PORC Utilisez une pince pour retourner les couennes. Entaillez le gras des côtes de porc sur toute la longueur, puis assaisonnez-les des deux côtés de sel & poivre. Une fois que la couenne est dorée et croustillante, sortez la poêle du feu.

CHOU Coupez le chou en deux, retirez la base et les feuilles extérieures. Coupez-le en 8 quartiers, placez-les dans une grande casserole et mettez de côté.

PORC Écrasez légèrement 8 gousses d'ail non pelées avec le talon de la main et ajoutez-les dans la poêle – remettez-la sur le feu si vous l'avez retirée. Poussez la couenne de porc et l'ail sur un côté de la poêle, puis posez les côtes de porc debout avec le gras vers le bas (regardez la photo pour voir ce que je veux dire). Utilisez une pince pour transférer la couenne et les gousses d'ail dans un plat allant au four. Parsemez-les de graines de fenouil puis enfournez en haut du four. Lavez-vous bien les mains et effeuillez la sauge.

CHOU Versez de l'eau bouillante dans la casserole et ajoutez une bonne pincée de sel. Mettez le couvercle

et réglez sur feu vif. Faire cuire le chou 6 à 8 minutes ou jusqu'à ce qu'il soit assez tendre.

PORC Une fois que les côtes de porc (côté gras) sont dorées, mettez-les à plat dans la poêle avec une pince. Sortez le plat avec la couenne de porc du four et ajoutez-y les feuilles de sauge et les côtes de porc. Mélangez le tout et disposez la couenne de porc et les feuilles de sauge sur les côtes de porc. Arrosez les côtes avec un peu de miel et remettez le plat dans le four environ 10 minutes, ou jusqu'à ce que les côtes soient bien cuites et appétissantes.

PÊCHES À LA CRÈME ANGLAISE Versez les pêches et leur jus dans une petite casserole. Ajoutez le bâton de cannelle et faites chauffer à feu vif. Laissez cuire.

CHOU Égouttez le chou dans une passoire, puis remettez-le dans la casserole et mélangez-y 2 cuillères à café bombées de sauce à la menthe, une pincée de sel & poivre et un filet d'huile d'olive extra-vierge. Mélangez doucement avec une pince. Remettez le couvercle pour garder au chaud et portez à table.

POMMES DE TERRE Sortez les pommes de terre du micro-ondes. Percez délicatement le film alimentaire et retirez-le. Vérifiez qu'elles sont cuites et jetez le ½ citron. Ajoutez 1 cuillère à café bombée de moutarde, quelques bonnes lampées d'huile d'olive extra-vierge et une belle pincée de sel & poivre. Hachez finement le persil et ajoutez-le. Cassez et écrasez les pommes de terre avec une cuillère en mélangeant toutes les saveurs. Portez-les à table.

PÊCHES À LA CRÈME ANGLAISE Versez la crème anglaise sur un plat. Versez les pêches chaudes dessus et émiettez les biscuits shortbread. Arrosez d'un peu de jus de cuisson chaud et jetez le reste, effeuillez la menthe et déchirez-la directement dessus.

PORC Sortez le porc du four et portez-le tout de suite à table. Servez-le avec le savoureux chou à la menthe et l'écrasée de pommes de terre.

« CASSOULET »
À LA SAUCISSE

SALADE TIÈDE DE BROCOLI

MERINGUES

POUR 4 PERSONNES

« CASSOULET »
4 tranches de bacon entrelardé fumé
1½ oignon rouge
quelques brins de romarin frais
½ petite botte de sauge fraîche
3 feuilles de laurier frais
2 poireaux
400 g de chipolatas de bonne qualité
3-4 tranches de pain épaisses
2 gousses d'ail
1 bocal de 680 g de passata
   (ou de coulis de tomates)
390 g de haricots beurre cuits
390 g de haricots blancs cuits

BROCOLI
400 g de brocoli à tige tendre
¼ d'un petit oignon rouge
1 gousse d'ail
2 tomates en grappe mûres
1 citron

ASSAISONNEMENT
huile d'olive
huile d'olive extra-vierge
sel de mer & poivre noir

DESSERT
150 g de framboises ou de fraises

1 cuillère à soupe de miel liquide,
   et un peu plus
4 cuillères à soupe de yaourt
   à la grecque
4 nids de meringue individuels
4 cuillères à café de lemon curd
   de bonne qualité
quelques petites feuilles de menthe
   fraîche

POUR SERVIR
une bouteille de vin rouge

POUR COMMENCER Préparez tous vos ingrédients et vos ustensiles. Faites chauffer le gril du four à pleine puissance. Remplissez et faites chauffer la bouilloire. Installez la lame standard dans le robot.

« CASSOULET » Coupez 4 tranches de bacon d'environ 1 cm d'épaisseur et mettez-les dans un plat à rôtir costaud avec quelques lampées d'huile d'olive. Mettez-le à chauffer à feu vif. Coupez en deux, pelez et coupez en tranches fines 1½ oignon rouge. Effeuillez le romarin et la plupart des feuilles de sauge et parsemez-les dans le plat avec les feuilles de laurier (mettez de côté quelques brins de sauge pour la suite.) Ôtez les bases des poireaux et retirez les feuilles extérieures. Fendez les poireaux, lavez-les et coupez-les en tranches fines. Ajoutez les poireaux et les oignons dans le plat avec quelques filets d'eau bouillie, remuez et laissez ramollir. Étalez les saucisses dans un autre plat à rôtir, arrosez-les et frottez-les légèrement d'huile d'olive, puis mettez-les sous le gril 8 minutes. Remuez vos légumes.

BROCOLI Mettez une petite casserole à chauffer à feu vif. Ôtez et jetez la base dure du brocoli.

DESSERT Mettez la moitié des baies dans un bol avec 1 cuillère à soupe de miel et écrasez-les jusqu'à ce que ce soit mou. Ajoutez le yaourt à la grecque, remuez-le pour faire des marbrures dans le mélange et mettez-le au frigo. Posez les nids de meringue sur une planche à servir avec 1 cuillère à café de lemon curd au milieu. Laissez-les comme ça, jusqu'à ce que vous soyez prêt à les servir, puis versez dessus votre mélange de baies au yaourt. Couvrez avec quelques baies, un filet de miel et quelques petites feuilles de menthe.

« CASSOULET » Déchirez les tranches de pain en gros morceaux et mettez-les dans le robot avec une pincée de sel & poivre, la moitié des brins de sauge réservés, 2 gousses d'ail et un bon filet d'huile d'olive. Mixez jusqu'à ce que vous obteniez une chapelure épaisse. Mélangez la passata, les haricots et leur jus dans le plat avec les légumes.

BROCOLI Pelez et râpez grossièrement ¼ d'oignon rouge dans un bol. Écrasez dessus 1 gousse d'ail. Coupez les 2 tomates en grappe en deux, videz les graines et râpez-les délicatement, côté chair vers le bas, dans une râpe épaisse. Jetez les peaux qui restent. Ajoutez deux bonnes lampées d'huile d'olive extra-vierge, assaisonnez avec soin, pressez 1 citron et mélangez.

« CASSOULET » Sortez les saucisses du four. Parsemez la moitié de la chapelure du robot sur les légumes et les haricots. Étalez les saucisses, côté brun vers le bas et parsemez-les de chapelure restante. Effeuillez la sauge mise de côté, arrosez d'huile d'olive et éparpillez les feuilles de sauge dessus. Mettez le plat à rôtir au milieu du four environ 4 minutes, ou jusqu'à ce que la chapelure soit dorée et croustillante.

BROCOLI Mettez le brocoli, tiges vers le bas, dans une casserole d'eau bouillante et couvrez-la. Faites-le cuire quelques minutes, ou jusqu'à ce qu'il soit tendre.

POUR SERVIR Le brocoli doit maintenant être tendre, alors égouttez-le, puis étalez-le sur un plat et versez la sauce dessus. Mélangez rapidement et portez tout de suite à table. Sortez le cassoulet du four et portez-le à table avec une bonne bouteille de vin rouge.

PIQUE-NIQUE BRITANNIQUE

POUR 4 PERSONNES (avec plein de restes ou 8 pour un déjeuner léger)

ROULEAUX DE SAUCISSE, PÂTÉ DE MAQUEREAU, BELLES ASPERGES, SALADE CROQUANTE, ETON MESS AU PIMM'S

ROULEAUX DE SAUCISSE

farine ordinaire, pour fariner
1 feuille de 375 g de pâte feuilletée
   prête à étaler
1 œuf
12 chipolatas maigres de bonne
   qualité (environ 400 g)
1 cuillère à café de graines de fenouil
du parmesan, pour râper
1 cuillère à soupe de graines de sésame

ASPERGES

350 g d'asperges
½ citron
du fromage du Lancashire pour servir
   (ou du comté)

PÂTÉ

1 cuillère à dessert bombée de crème
   de raifort

300 g de maquereau fumé
200 g de cream cheese allégé (ou de
   fromage frais style Kiri)
une botte de persil plat frais
2 citrons
1 petite botte de radis
une miche de pain de campagne

SALADE CROQUANTE

1 sachet de 100 g de cresson
   prêt à l'emploi
4 oignons au vinaigre
1 poire
½ citron

ASSAISONNEMENT

huile d'olive
huile d'olive extra-vierge
sel de mer & poivre noir

ETON MESS

400 g de fraises
1 cuillère à soupe bombée
   de sucre roux
1 orange sanguine
2 cuillères à café de pâte
   ou d'extrait de vanille
un filet de Pimm's
250 g de yaourt ou de crème fraîche
   allégé(e)
8 nids de meringue
quelques brins de menthe fraîche

POUR SERVIR

de la moutarde anglaise
une grande bouteille de limonade
   traditionnelle

POUR COMMENCER Préparez tous vos ingrédients et vos ustensiles. Faites chauffer le four à 220 °C (th. 7) et faites chauffer un gril en fonte à feu vif. Installez la lame standard dans le robot.

ROULEAUX DE SAUCISSE Farinez un plan de travail avec de la farine ordinaire et déroulez la pâte feuilletée. Coupez la pâte en deux dans la longueur. Battez l'œuf dans un petit bol, puis badigeonnez-en les moitiés de pâte avec un pinceau à pâtisserie. Posez 6 saucisses sur chaque moitié (comme sur la photo). Pilez 1 cuillère à café de graines de fenouil dans un mortier et parsemez-les dessus. Râpez une fine couche de parmesan sur les saucisses.

Repliez la pâte sur les saucisses, puis utilisez une fourchette pour souder les bords et obtenir deux longs rouleaux de saucisse. Badigeonnez-les avec le reste de l'œuf, puis parsemez-les de graines de sésame. Arrosez une plaque à pâtisserie d'huile d'olive et coupez grossièrement chaque long rouleau en 10 petits rouleaux. Étalez les rouleaux sur la plaque huilée et placez-les en haut du four 15 minutes, ou jusqu'à ce qu'ils soient dorés et gonflés. Lavez-vous les mains et enfournez la miche de pain pour le pâté.

ASPERGES Coupez et jetez les extrémités des asperges, rincez rapidement les pointes et étalez-les sur le gril chaud. Retournez-les de temps en temps et faites-les cuire jusqu'à ce qu'elles soient grillées de tous les côtés.

PÂTÉ Mettez 1 cuillère à soupe bombée de crème de raifort dans le robot avec tout le maquereau, le fromage frais, la botte de persil et une bonne pincée de poivre. Râpez finement le zeste de 1 citron dedans et pressez le jus de 1½ citron. Faites tourner le robot quelques minutes pendant que vous lavez et coupez les radis en deux. Disposez-les autour d'un bol de service. Quand le mélange est assez lisse et bien mixé, versez-le dans le bol de service. Vous pouvez le mettre au frigo pour le raffermir, mais je le préfère un peu plus mou. Arrosez d'un peu de bonne huile d'olive extra-vierge, puis portez à table avec une miche de pain chaud et un ½ citron pour presser dessus.

ASPERGES Retournez les asperges.

SALADE CROQUANTE Versez le cresson sur un plat. Coupez en tranches fines 4 oignons au vinaigre et éparpillez-les sur le cresson. Coupez la poire en fines rondelles avec le trognon, puis coupez les rondelles en bâtonnets et parsemez-les dessus. Assaisonnez avec un bon filet d'huile d'olive extra-vierge et une pincée de sel & poivre. Portez à table avec ½ citron pour presser dessus.

ASPERGES Arrosez les pointes d'un peu d'huile d'olive extra-vierge et pressez dessus le jus de ½ citron. Secouez le gril, assaisonnez légèrement et versez tout sur un plat de service. Portez à table avec un morceau de fromage de Lancashire pour faire des copeaux dessus.

ROULEAUX DE SAUCISSE S'ils sont dorés et cuits, sortez-les du four. Sinon, laissez-les pendant que vous préparez votre dessert.

ETON MESS Coupez les fraises en tranches fines et mettez-les dans un bol avec 1 cuillère à soupe bombée de sucre. Râpez dessus le zeste d'orange sanguine, puis pressez dessus le jus de la moitié de l'orange. Ajoutez 2 cuillères à café d'extrait ou de pâte de vanille, puis écrasez bien et mélangez le tout à la fourchette. Ajoutez un bon filet de Pimm's et mélangez à nouveau. Versez 2 cuillères à soupe de yaourt ou de crème fraîche sur un plat, et étalez en ajoutant le mélange de fraises au fur et à mesure. Émiettez dessus la moitié des nids de meringue, mélangez, décorez avec des feuilles de menthe dessus et portez à table avec le reste des nids de meringue – émiettez-les dessus au moment de servir le dessert.

POUR SERVIR Disposez les rouleaux de saucisse sur un plat et portez à table avec de la moutarde anglaise.

SAUCISSE ROULÉE

PURÉE AU RAIFORT

SALADE DE POMME

SAUCE À LA SAUGE & AU POIREAU

POMMES FARCIES

POUR 4 À 6 PERSONNES

SAUCISSE ROULÉE
2 x 6 saucisses de bonne qualité
    attachées (environ 400 g)
3 brins de sauge fraîche

SAUCE
2 poireaux
quelques brins de sauge fraîche
1 cube de bouillon de volaille bio
1 cuillère à soupe bombée de farine
    ordinaire
20 cl de cidre de bonne qualité

PURÉE AU RAIFORT
800 g de pommes de terre à purée
une grosse noix de beurre
2 cuillères à soupe bombées
    de crème de raifort

SALADE DE POMME
4 galettes suédoises multi graines
    (type Ryvita)
200 g de fromage frais style Kiri
1 citron
1 petite pomme
50 g de cresson prêt à l'emploi

ASSAISONNEMENT
huile d'olive
huile d'olive extra-vierge
sel de mer & poivre noir

LES POMMES FARCIES
(pour 4 ou 6 personnes)
4 petites pommes (ou 6 pour 6)
1 œuf
100 g de sucre roux
100 g d'abricots secs
100 g d'amandes mondées
facultatif : du cointreau pour arroser
de la crème liquide ou du yaourt
    nature pour servir

POUR SERVIR
un pot de moutarde anglaise
cidre frais

POUR COMMENCER Préparez tous vos ingrédients et vos ustensiles. Faites chauffer le gril à fond. Faites chauffer une grande casserole à feu doux. Remplissez la bouilloire et faites-la chauffer. Installez la lame standard dans le robot.

SAUCISSE ROULÉE Chiffonnez une grande feuille de papier sulfurisé sous le robinet, puis étalez-la. Détordez les attaches entre les saucisses et appuyez sur la viande pour former 2 longues saucisses. Roulez les deux pour faire un grand rouleau. Faites-le tenir avec deux piques en bois (🪢). Effeuillez la sauge et glissez les feuilles dans les intervalles. Arrosez d'huile d'olive et frottez pour répartir l'huile sur les saucisses. Soulevez le papier sulfurisé et transférez la saucisse roulée dans un grand plat à rôtir. Déchirez l'excès de papier. Lavez-vous les mains. Enfournez le plat en haut du four, sous le gril, et faites-la dorer 10 minutes.

LES POMMES FARCIES Retirez le cœur des pommes et entaillez le tour de chacune en cercle. Cassez 1 œuf dans un robot et ajoutez 100 g de sucre roux, 100 g d'abricots secs et 100 g d'amandes mondées. Mixez jusqu'à ce que ce soit homogène. À l'aide d'une cuillère, farcissez les pommes de ce mélange. Étalez le reste sur le fond d'un plat en terre allant au micro-ondes. Posez les pommes dessus, faites-les cuire 10 minutes à la puissance maximale.

SAUCE Faites chauffer une grande poêle à feu doux avec un couvercle.

PURÉE AU RAIFORT Passez à feu vif sous la casserole. Coupez les pommes de terre en morceaux de 1 cm, mettez-les dans la casserole et couvrez-les d'eau bouillie, en gardant un peu d'eau pour la suite. Salez et couvrez.

SAUCE Essuyez la planche à découper. Préparez 2 poireaux. Retirez les extrémités, fendez-les dans la longueur et rincez-les sous le robinet. Coupez-les en tronçons de 1 cm et ajoutez-les dans la grande poêle vide avec une lampée d'huile d'olive et un bon filet d'eau bouillie. Couvrez et réglez sur feu moyen. Remuez de temps en temps.

SAUCISSE ROULÉE Sortez le plat du four, retournez la saucisse et remettez le plat en haut du four.

SALADE DE POMME Cassez 4 galettes suédoises en morceaux de la taille d'une bouchée. Utilisez le dos d'une cuillère à café pour étaler un peu de fromage frais sur chacun. Disposez-les sur un plateau. Râpez finement dessus le zeste de ½ citron et parsemez un peu de poivre noir dessus. Coupez la base de la pomme pour qu'elle tienne à plat, puis coupez-la en rondelles aussi fines que possible. Empilez les tranches et coupez-les en bâtonnets. Pressez dessus le jus du ½ citron zesté pour que la pomme ne brunisse pas.

SAUCE Coupez les feuilles de sauge en fines lanières et ajoutez-les dans les poireaux. Émiettez-y un cube de bouillon et ajoutez 1 cuillère à soupe bombée de farine. Mélangez bien et ajoutez 20 cl de cidre. Laissez grésiller, puis ajoutez 20 cl d'eau bouillie. Réglez sur feu doux et laissez cuire jusqu'à la bonne consistance.

SALADE DE POMME Glissez des petites pincées de cresson entre les morceaux de galette. Éparpillez la pomme assaisonnée dessus. Mettez l'autre ½ citron à côté pour presser dessus, arrosez d'un peu d'huile d'olive extra-vierge et portez à table.

LES POMMES FARCIES Sortez le plat du micro-ondes. Si la farce est sortie, utilisez une cuillère pour la remettre. Mettez la saucisse roulée en bas du four et placez quelques minutes les pommes en haut pour qu'elles caramélisent.

PURÉE AU RAIFORT Égouttez les pommes de terre dans une passoire, puis remettez-les dans la casserole et écrasez-les avec une grosse noix de beurre et une pincée de sel & poivre. Mélangez-y 2 cuillères à soupe bombées de crème de raifort et portez-les à table.

LES POMMES FARCIES Versez la crème dans un petit broc pour servir. Quand elles sont dorées, sortez les pommes du four. Pour plus d'effet, arrosez-les d'un filet de cointreau, puis faites-les flamber avant de les servir avec la crème.

POUR SERVIR Posez la saucisse sur une planche et portez-la à table avec la sauce et un pot de moutarde anglaise. Accompagnez de cidre.

FESTIN DE TAPAS

POUR 6 PERSONNES

TORTILLA, CHORIZO LAQUÉ, FROMAGE MANCHEGO, CHARCUTERIE & MIEL, POIVRONS FARCIS, ANCHOIS ROULÉS

TORTILLA

250 g de petites pommes de terre
   nouvelles
1 petit oignon rouge
1 cuillère à café de graines de fenouil
2 gousses d'ail
½ petite botte de romarin frais
8 œufs
une grosse poignée de roquette prête
   à l'emploi, pour servir

CHORIZO

250 g de chorizo de bonne qualité
   semi-salé
2 gousses d'ail
4 cuillères à soupe de vinaigre
   de vin rouge
1 cuillère à soupe de miel liquide

POIVRONS

100 g de fromage manchego
1 pain ciabatta
50 g d'amandes mondées
une petite botte de thym frais
vinaigre de vin rouge
1 bocal de 450 g de poivrons entiers

MANCHEGO

100 g de fromage manchego
100 g de charcuterie espagnole,
   (pata negra…)
miel liquide, pour arroser
café moulu de bonne qualité
une poignée d'olives noires
facultatif : quelques brins de thym
   ou d'origan frais

ANCHOIS

100 g d'anchois marinés ou
   assaisonnés, du rayon frais
quelques brins de persil plat frais
1 citron
150 g de tomates cerise
du paprika fumé, pour saupoudrer

ASSAISONNEMENT

huile d'olive
huile d'olive extra-vierge
sel de mer & poivre noir

POUR SERVIR

une bouteille d'eau gazeuse
1 orange
une bouteille de xérès sec,
   frais

POUR COMMENCER Préparez tous vos ingrédients et vos ustensiles. Faites chauffer une poêle moyenne allant au four (d'environ 26 cm) à feu vif et une petite poêle à feu doux. Faites chauffer le gril du four à fond. Installez la lame standard dans le robot.

TORTILLA Coupez les pommes de terre en morceaux de 1 cm. Mettez-les dans la poêle moyenne allant au four avec une lampée d'huile d'olive et remuez. Coupez en deux, pelez et hachez grossièrement l'oignon rouge. Une fois que les pommes de terre sont bien dorées, ajoutez l'oignon dans la poêle avec les graines de fenouil et mélangez bien. Commencez vos autres tâches, mais n'oubliez pas de remuer les pommes de terre de temps en temps.

CHORIZO Coupez le chorizo en rondelles de 2 cm. Mettez-les dans la petite poêle avec un filet d'huile d'olive et remuez de temps en temps, jusqu'à ce qu'elles soient bien dorées et croustillantes.

POIVRONS Retirez la croûte du manchego, puis émiettez-le dans le robot avec une poignée de ciabatta déchirée, 50 g d'amandes mondées, les feuilles d'une botte de thym, une bonne pincée de sel & poivre et un filet de vinaigre de vin rouge. Mixez finement, puis farcissez-en les poivrons — pas besoin de tasser. Une fois que c'est fait, posez-les dans un plat allant au four. Parsemez la chapelure restante sur les poivrons. Posez dessus les brins de thym restants, arrosez d'huile d'olive, puis enfournez 8 minutes au milieu du four, sous le gril. Déchirez la ciabatta restante en deux et portez-la à table.

MANCHEGO Étalez les tranches de charcuterie sur une planche à côté d'un bon morceau de manchego. Arrosez le fromage d'un peu de miel, puis parsemez-le d'un peu de café moulu. Éparpillez une poignée d'olives noires et quelques feuilles de thym ou d'origan (si vous en utilisez) sur la charcuterie. Arrosez d'un tout petit peu d'huile d'olive extra-vierge, poivrez légèrement et portez à table.

CHORIZO Écrasez légèrement 2 gousses d'ail non pelées avec le talon de la main ou le fond d'une casserole et ajoutez-les dans la petite poêle.

TORTILLA À ce stade, les pommes de terre devraient être bien dorées, alors baissez le feu à feu doux. Écrasez 2 gousses d'ail non pelées dans la poêle. Effeuillez la plupart du romarin dans la poêle et mélangez. Assaisonnez avec une bonne pincée de sel & poivre.

CHORIZO Égouttez délicatement la plupart du gras, en en laissant à peu près 1 cuillère à soupe. Ajoutez le vinaigre de vin rouge et le miel liquide et laissez réduire en laque collante. Surveillez-la, en secouant la poêle de temps en temps pour que ça n'attache pas.

TORTILLA Goûtez le mélange de pommes de terre et rectifiez l'assaisonnement, puis cassez directement les œufs dans la poêle et remuez doucement avec une cuillère en bois pour créer un effet marbré. Passez sur feu moyen. Une fois que les œufs commencent à prendre sur les bords, parsemez des feuilles de romarin dessus et mettez-les sous le gril, en haut du four, 3 à 5 minutes ou jusqu'à ce qu'ils soient pris, dorés et gonflés.

ANCHOIS Mettez les anchois dans un joli bol de service. Hachez finement quelques brins de persil et parsemez-les dessus. Râpez finement le zeste de ½ citron, puis arrosez d'huile d'olive extra-vierge. Coupez les tomates cerise en deux et entassez-les à côté des anchois avec des piques à cocktail. Comme ça chacun peut faire ses propres brochettes. Pour finir, ajoutez une pincée de paprika et portez à table.

POUR SERVIR Portez la tortilla et les poivrons farcis à table. Posez une grosse poignée de roquette à côté de la tortilla. Portez la poêle de chorizo collant à table. Servez le tout avec un broc d'eau gazeuse rempli de tranches d'orange et une bouteille fraîche de xérès sec.

CÔTES D'AGNEAU À LA MAROCAINE

POUR 4 À 6 PERSONNES

PAINS PLATS LIBANAIS, SEMOULE AUX HERBES, POIVRONS FARCIS, BOISSON À LA GRENADE

AGNEAU

2 carrés d'agneau (de 8 côtes chacun), sans le gras
1 noix muscade entière, pour râper
1 cuillère à café de cumin en poudre
1 cuillère à café de paprika doux, plus un peu pour saupoudrer
1 cuillère à café de thym sec

SEMOULE

200 g de semoule
1 piment rouge frais
une grosse botte de persil plat frais ou de menthe
1 citron

GARNITURES

1 paquet de pains plats style libanais
1 cuillère à soupe de thym ou d'origan sec
250 g de yaourt nature
1 cuillère à soupe bombée de harissa
200 g d'houmous
½ citron

ASSAISONNEMENT

huile d'olive
huile d'olive extra-vierge
sel de mer & poivre noir

POIVRONS FARCIS

60 g de bon fromage à fondre, tels que du cheddar ou de la fontina
8 petits poivrons entiers en bocal

BOISSON

glaçons
quelques brins de menthe fraîche
½ citron
1 grenade
1 bouteille d'eau gazeuse

POUR COMMENCER Préparez tous vos ingrédients et vos ustensiles. Remplissez la bouilloire et faites-la chauffer. Faites chauffer une grande poêle à feu moyen. Mettez un plat à rôtir dans le four et faites-le chauffer à 220 °C (th. 7).

AGNEAU Déposez les carrés d'agneau sur une feuille de papier sulfurisé posée sur une planche et coupez chaque carré en deux pour obtenir 4 petits carrés. Entaillez rapidement la surface de chaque carré en croisillons, puis râpez finement dessus la moitié de la noix muscade, et saupoudrez avec le cumin, le paprika et le thym. Massez les épices dans la viande, puis posez-la dans la poêle chaude avec un filet d'huile d'olive. Jetez le papier sulfurisé. Tournez la viande pour la colorer de tous les côtés, durant environ 5 minutes, pendant que vous préparez les autres éléments du repas.

SEMOULE Versez la semoule dans un grand bol avec un filet d'huile d'olive et ajoutez juste assez d'eau bouillante pour la couvrir. Salez, couvrez avec une assiette et mettez de côté quelques minutes.

GARNITURES Étalez les pains plats sur une planche. Arrosez-les d'huile d'olive, puis saupoudrez-les de sel et de thym ou d'origan sec. Chiffonnez et mouillez une grande feuille de papier sulfurisé sous le robinet, étalez-la et emballez les pains dedans avant de la poser sur une plaque dans le bas du four pour les réchauffer.

AGNEAU Surveillez l'agneau. Une fois qu'il est doré, transférez-le dans le plat à rôtir chaud, les os vers le haut et placez-le en haut du four. Réglez le minuteur sur 14 minutes pour une viande rosée, un peu moins pour une viande saignante et un peu plus pour qu'elle soit bien cuite. À mi-cuisson, retournez les carrés. Rincez la poêle de l'agneau et essuyez-la avec du papier absorbant. Faites-la chauffer à feu doux.

BOISSON Remplissez à moitié un grand broc de glaçons. Chiffonnez quelques feuilles de menthe et ajoutez-les, pressez dedans le jus du ½ citron. Posez une passoire sur le broc, puis coupez la grenade en deux et pressez bien chaque moitié pour que les graines éclatent et que le jus coule dans le broc. Jetez ce qui reste dans la passoire. Complétez avec de l'eau gazeuse, remuez avec une cuillère en bois et portez à table.

POIVRONS FARCIS Coupez le fromage en 8 tranches et glissez une tranche dans chaque poivron.

SEMOULE Épépinez et hachez finement le piment rouge. Hachez finement la plupart du persil ou des feuilles de menthe (en mettant de côté une petite poignée de feuilles). Retirez l'assiette sur la semoule, ajoutez le persil haché et le piment, quelques lampées d'huile d'olive extra-vierge et une pincée de sel & poivre. Pressez-y le jus de 1 citron. Remuez et aérez à la fourchette. Goûtez et rectifiez les saveurs à votre goût, puis portez à table.

GARNITURES Mettez le yaourt dans un bol et ajoutez la harissa dessus. Arrosez d'un peu d'huile d'olive extra-vierge et ajoutez quelques feuilles de persil réservées. Étalez le houmous dans une assiette, faites un puits au milieu et arrosez-le d'huile d'olive extra-vierge. Ajoutez une pincée de sel & poivre, un filet de jus du ½ citron et une pincée de paprika. Portez à table.

POIVRONS FARCIS Versez de l'huile d'olive dans la poêle de l'agneau et ajoutez les poivrons. Faites-les cuire 1½ à 2 minutes et une fois que le fromage est fondu, éteignez le feu. C'est rapide et délicieux.

AGNEAU Sortez-le du four et transférez-le sur une planche et laissez-le reposer quelques minutes.

POUR SERVIR Versez les poivrons sur une assiette et parsemez dessus quelques feuilles de persil ou de menthe. Sortez les pains plats du four. Parsemez le reste de persil sur l'agneau, coupez le citron en quartiers pour presser dessus et servez-le à côté. Portez le tout à table et maintenant régalez-vous !

AGNEAU DE PRINTEMPS

PLATEAU DE LÉGUMES

SAUCE À LA MENTHE

JUS AU CHIANTI

FONDUE AU CHOCOLAT

POUR 4 À 6 PERSONNES

AGNEAU

1 carré d'agneau de 8 côtes, sans le gras
2 morceaux de collier d'agneau (environ 250 g)
3 brins de romarin frais
2 gousses d'ail
1 cuillère à café de moutarde de Dijon
vinaigre de vin blanc
300 g de tomates cerise en grappe

JUS

4 tranches de bacon
2 brins de romarin frais
1 cuillère à soupe bombée de farine ordinaire

½ verre de vin rouge

LÉGUMES

500 g de pommes de terre nouvelles
250 g de carottes nouvelles
les tiges d'une botte de menthe
1 cube de bouillon de volaille bio
200 g de haricots verts extra fins
200 g de haricots à rames
½ chou de Milan
200 g de petits pois surgelés
une noix de beurre
½ citron

SAUCE À LA MENTHE

les feuilles d'une botte de menthe fraîche

4 cuillères à soupe de vinaigre de vin rouge
1 cuillère à soupe de sucre roux

ASSAISONNEMENT

huile d'olive
huile d'olive extra-vierge
sel de mer & poivre noir

FONDUE

1 plaque de 100 g de chocolat noir de bonne qualité (70 % de cacao)
1 cuillère à café de pâte ou d'extrait de vanille
10 cl de lait
4 à 6 poignées de fruits mélangés : mangue, fraises ou ananas…

POUR COMMENCER Préparez tous vos ingrédients et vos ustensiles. Faites chauffer une grande poêle et une grande casserole à feu vif. Remplissez la bouilloire et faites-la chauffer. Faites chauffer votre four à 220 °C (th. 7).

AGNEAU Coupez le carré en deux. Salez et poivrez-le, mettez-le dans la poêle avec une peu d'huile d'olive.

LÉGUMES Lavez les pommes de terre et coupez le haut des carottes. Mettez dans la grande casserole avec une pincée de sel. Déchirez le haut feuillu de la botte de menthe et mettez-le de côté pour la sauce. Mettez les tiges (toujours attachées par un lien) dans la casserole. Recouvrez à hauteur d'eau bouillie et émiettez-y le cube de bouillon. Couvrez.

AGNEAU Arrosez les colliers d'agneau d'huile d'olive et assaisonnez-les. Retournez les carrés d'agneau et mettez les deux colliers d'agneau dans la poêle. Colorez les morceaux de viande et revenez régulièrement à la poêle en les retournant pour qu'ils dorent de tous les côtés.

Effeuillez 3 brins de romarin et mettez-les dans un mortier avec une pincée de sel & poivre. Pelez l'ail, ajoutez-le dans le mortier et pilez bien le tout. Retournez l'agneau. Ajoutez la moutar dans le mortier avec un peu d'huile d'olive et un filet de vinaigre de vin blanc. Mélangez bien.

Vérifiez que l'agneau est bien coloré, et transférez-le dans un plat à rôtir. Videz la plupart du gras et remettez la poêle sur feu très doux pour faire le jus. Versez le contenu du mortier sur l'agneau avec les tomates cerise dessus. Remuez pour bien tout enrober. Salez, enfournez en haut du four 14 minutes pour une viande rosée, un peu moins pour qu'elle soit saignante et un peu plus pour qu'elle soit bien cuite. Retournez les carrés à mi-cuisson.

JUS Coupez finement le bacon et mettez-le dans la poêle.

SAUCE Hachez finement les feuilles de menthe réservées et mettez-les dans le mortier non lavé. Pilez-les puis ajoutez le vinaigre de vin rouge, le sucre, une pincée de sel et 2 cuillères à soupe d'eau de cuisson de la casserole de légumes. Mélangez le tout avec le pilon, rectifiez

l'assaisonnement et ajoutez un tout petit filet d'huile d'olive extra-vierge. Portez à table avec une cuillère.

JUS Montez le feu sous le bacon et ajoutez les feuilles de romarin. Mélangez-y la farine, le vin rouge et quelques louches d'eau de cuisson

LÉGUMES Équeutez tous les haricots et passez les haricots à rames dans un éminceur ou coupez-les, en biais, en tronçons de 1 cm. Coupez le ½ chou de Milan en deux, éliminez les feuilles extérieures abîmées et la tige. Coupez le chou en fines tranches. Ajoutez le chou, les haricots et les petits pois dans la casserole, remuez et couvrez.

AGNEAU Retournez-le. Si vos tomates prennent trop de couleur, posez la viande dessus.

JUS Mélangez-y 1 cuillerée d'eau de cuisson si nécessaire.

FONDUE Cassez le chocolat dans son emballage et mettez les carrés dans un petit bol avec la pâte ou l'extrait de vanille, une petite pincée de sel et le lait. Faites cuire au micro-ondes à puissance maximale 1½ minute. Laissez reposer un peu, remuez et faites cuire encore 1 minute à puissance maximale. Coupez tous vos fruits en morceaux de la taille d'une bouchée et disposez-les sur un plat. Sortez le bol du micro-ondes et remuez jusqu'à ce que tout le chocolat soit fondu, puis posez-le sur le plat et portez à table.

AGNEAU Quand les quatorze minutes sont écoulées, sortez votre agneau du four et laissez-le reposer une minute.

LÉGUMES Égouttez-les dans une passoire, puis remettez-les dans la casserole. Arrosez-les d'huile d'olive extra-vierge, ajoutez une bonne pincée de sel & poivre et une noix de beurre. Pressez dessus le jus de ½ citron, mélangez. Versez-les sur un grand plat de service et portez-le à table.

JUS Rectifiez l'assaisonnement et portez à table.

POUR SERVIR Mettez les carrés en côtes individuelles et tranchez le collier. Disposez-les sur un plat, avec la plupart des tomates cerise sur l'agneau, et écrasez le reste dans le jus de cuisson. Arrosez d'huile d'olive extra-vierge et servez.

REMERCIEMENTS

La liste s'allonge chaque année mais, comme toujours, je vais faire de mon mieux pour n'oublier personne. Si c'est le cas, pardonnez-moi et faites-le-moi savoir pour que je puisse vous inclure dans la réédition ! D'abord, le plus grand merci va à Jools, ma belle et patiente femme, qui continue à accepter de partager un repas avec moi, même quand je rentre plus tard que prévu. Je t'aime. Merci à mes enfants, Poppy, Daisy, Petal et - (celui-là, je ne l'ai pas encore rencontré) d'être des petites personnes si drôles, intéressantes et merveilleuses. Merci et beaucoup d'amour à maman, papa et, bien sûr, à Gennaro Contaldo.

À mon ami et photographe extraordinaire 'Lord' David Loftus. Une fois de plus, vieux, tu t'es surpassé. Cette fois, ce fut vraiment difficile de faire des choix parmi toutes tes superbes photos. Beaucoup d'amour.

Un énorme merci à mon équipe de cuisine, énergique, créative et d'un soutien sans faille. Ce livre vous a stimulé, comme moi, et comme d'habitude vous avez fait un travail incroyable. Merci aux brillantes stylistes : Ginny Rolfe, Anna Jones, Sarah Tildesley, Georgie Socratous et à la petite Christina 'Scarabooch' McCloskey. Beaucoup d'amour à mes super mecs Pete Begg et Daniel Nowland et bien sûr aux magnifiques Claire Postans, Bobby Sebire, Joanne Lord, Helen Martin et à Laura Parr, qui s'occupe des questions nutritionnelles pour moi ! Je ne sais pas ce que je ferais sans vous. Un grand bravo aussi à Abigail 'Scottish' Fawcett, Becca Hetherston et Kelly Bowers pour m'avoir aidé à tester les recettes.

Un merci, rempli d'amour, pour mes filles des « mots » qui travaillent dur : mon éditrice Katie Bosher et la charmante Rebecca 'Rubs' Walker et Bethan O'Connor.

Un grand bravo à toute l'équipe de Penguin, toujours assez audacieuse pour soutenir mes idées les plus folles. Surtout à mes vieux amis John Hamilton, Lindsey Evans, Tom Weldon et Louise Moore – ça a été un plaisir de travailler ensemble sur ce livre. Merci aussi à mon nouveau pote Alistair (Al, Aladin, Aslan, Alsace) Richardson pour son aide dans le design de ce livre. Au reste de l'équipe de Penguin qui garde le cap et fait un boulot fantastique sous pression : Nick Lowndes, Juliette Butler, Janis Barbi, Laura Herring, Airelle Depreux, Clare Polllock, Chantal Noel, Kate Brotherhood, Elizabeth Smith, Jen Doyle, Jeremy Ettinghausen, Anna Rafferty, Ashley Wilks, Naomi Fidler, Thomas Chicken et toutes leurs équipes – beau travail les gars ! Et un grand merci, comme toujours, à l'adorable Annie Lee, à Helen Campbell et Caroline Wilding.

Ce livre comporte aussi une édition numérique, avec de nombreux contenus bonus. Alors, une fois de plus, un grand merci à David Loftus et aussi à Paul Gwilliams pour les super vidéos tournées. Merci à Matt Shaw et Gudren Claire de Fresh One, d'avoir trié et si bien montés tous les rushes. Ma directrice marketing, la très charmante et brillante Eloise Bedwell, a travaillé dur pour rassembler tous les éléments numériques : un grand bravo à elle.

À mon Président, John Jackson, ma directrice générale Tara Donovan, ma directrice, Louise Holland (« Yoda », « M », ou ma « Chief of Staff », comme on l'appelle aux États-Unis), et aussi à toutes leurs équipes – un grand merci pour votre génial travail. Pareil pour mon équipe personnelle, qui s'occupe si bien de moi et maintient ma vie sur un cap : Liz McMullan, Holly Adams, Beth Richardson, Paul Rutherford, Saffron Greening et Susie Blythe – merci les gars. Le reste de l'équipe travaille très dur chaque jour. Grâce à eux, c'est un vrai plaisir d'arriver tous les jours au bureau. Beaucoup parmi eux se sont fait embarquer et ont testé les recettes de ce livre pour moi (quelques-uns d'entre eux sont en photo sur la page d'à côté), alors un grand bravo à eux pour m'avoir donné leur super feedback : vous êtes géniaux !

Et beaucoup d'amour et de mercis à la merveilleuse équipe de télévision, en photo avec moi sur la page d'à côté. Les gars, vous m'avez aidé à transformer ce livre en une série géniale et on s'est vraiment bien amusé à le faire. À ma superbe équipe de Fresh One : Zoe Collins et Jo Ralling, Roy Ackerman, Martha Delap, Emily Taylor, Kirsten Rogers, Gudren Claire, Lou Dew, Esub Miah et Alex Gardiner. La super équipe technique : Luke Cardiff, Dave Miller, Olly Wiggins, Paul Gwilliams (bravo pour les images en bonus), Mike Sarah, Godfrey Kirby, Daryl Higgins, Andy Young, Pete Bateson, Jeff Brown et Chris Stevens – vous êtes les meilleurs. Encore un grand bravo à mes géniales filles qui s'occupent de la nourriture et font en sorte que tout se passe bien sur les tournages. Un grand merci aussi à Kate McCullough, Almir Santos ainsi qu'à l'équipe de montage, Jen Cockburn, Jackie Witts, Barbara Graham, Steve Flatt et Mike Kerr.

Et bien sûr, un grand merci à la famille Forster. La dernière chose dont Jools avait besoin, alors qu'elle était enceinte de notre quatrième enfant, c'était de moi en train de shooter un livre entier dans notre cuisine. J'ai eu beaucoup de chance qu'ils acceptent de me laisser envahir leur belle maison pour y faire la cuisine des jours durant. Crispin, mon menuisier préféré depuis quelques années, a construit la table de ce livre spécialement pour moi. Merci mon pote, et un gros câlin à Gemma et à tes deux garçons, Jago et Felix. Chaque minute a été un plaisir.

INDEX

Les pages référencées en **gras** indiquent une illustration.
Le v fait référence à un plat végétarien.